Liedermacher

Ulla Meinecke

Klaus Hoffmann

Georg Danzer

Hannes Wader

Reinhard Mey

zusammengestellt
von Beate Dapper

kunter**bund**edition

1. Auflage
© 1998 by Bund-Verlag GmbH, Frankfurt/Main
Redaktion, Layout, Noten- und Textsatz: Beate Dapper, 50674 Köln
Druck: Topdruck Bachmeier KG, Weinheim
Umschlaggestaltung: Art & Work, Frankfurt/Main
ISBN 3-7663-1152-2
Printed in Germany 1998

Inhaltsverzeichnis

Vorwort

Lieder können aufheitern, traurig stimmen, Sehnsüchte wecken, zum Nachdenken anregen. Sie können als Zeugnis der Geschichte auftreten, als musikalischer Beitrag aufsehenerregender Geschehnisse, als Bild und Abbild menschlicher wie gesellschaftlicher Stärken und Schwächen.

All dies und noch mehr findet sich im Genre der Liedermacher.
Der Begriff "Liedermacher" stammt aus der deutschen Protestbewegung der sechziger Jahre und beschreibt jemanden, der als Texter, Komponist und Sänger seine Lieder so darstellt, wie er sie gedacht hat. Meist begleitet er sich selbst auf der Gitarre oder dem Klavier.
Wolf Biermann prägte den Ausdruck "Liedermacher" in Anlehung an Bertholt Brechts Bezeichnung "Stückeschreiber".
Attribute eines Liedermachers sind Ehrlichkeit, politische, gesellschaftliche und persönliche Entblößung.
Daß die inhaltliche Aussage dieser Lieder als wichtiger erachtet wurden als die Musik selbst, scheint klar, denn es ging ja in erster Linie um eine individuelle Auseinandersetzung mit Problemen vielschichtiger Art. Man wollte Sprachrohr sein für Dinge, die einen selbst berührten.
Für den heutigen Gebrauch (!) des Begriffs "Liedermacher" gilt all dies nicht mehr unbedingt.
So zählen im deutschen Sprachgebiet neben politischen Sängern wie Franz Josef Degenhardt, Hannes Wader oder Wolf Biermann auch Straßenmusiker wie Klaus der Geiger und Klaus Grabenhorst, Chansonniers wie Reinhard Mey und Schobert und Black, Individualisten wie Konstantin Wecker oder André Heller, aber auch Mike Krüger und Jürgen von der Lippe zu den Liedermachern unserer Zeit.

In diesem Buch stellen wir fünf Repräsentanten dieses Genres vor. Die Auswahl der Lieder soll die ganz individuelle Entwicklung des einzelnen Liedermachers zeigen - vom Beginn bis heute.
Die Lebensbeschreibungen und viele persönliche Kommentare zu den Liedern runden das Bild ab.

Ich wünsche Ihnen viel Spaß beim Singen und Spielen der Lieder und beim Entdecken einiger Meilensteine des Genres "Liedermacher"!

Beate Dapper

Beate Dapper

Ulla Meinecke

Ulla Meinecke ist eine der wenigen deutschen Musikerinnen und Liedermacherinnen. Mit einem Stil zwischen Gefühl und Verstand, zwischen verträumt und skurril, zwischen gestern und heute sowie zwischen Beständigkeit und Veränderung versteht sie es mittlerweile weit über zwanzig Jahre, ihr Publikum zu fesseln. Vielleicht ist ihr Geheimrezept für ihren Erfolg etwas, das Udo Lindenberg einmal sehr treffend beschrieben hat:

„Bei ihr ist in jedem Lied eine totale, ganz nackte Ehrlichkeit."

1953 am 14. August wurde Ulla Meinecke in Usingen im Taunus geboren. Sie lebte bis 1966 in Wallau an der Lahn. 1966 zog sie nach Frankfurt am Main.
Zwei Träume begleiteten sie durch ihre gesamte Kindheit und Jugend: die Musik und die Medizin.
Mit zehn Jahren begann sie, Gitarre zu spielen, doch hatte sie damals wenig Hoffnung ihren Traum auf einen künstlerischen Beruf zu verwirklichen: Das Musikgeschäft ist hart. Gleich nach Ihrem Abitur schrieb sie sich an der Uni für das Studienfach Medizin – ihren anderen Traum - ein. Doch es klappte nicht. Die „Wartezeit" füllte sie mit ihren Träumen, mit der Lyrik und der Musik – und mit Jobs („von irgend etwas muß man ja leben") in Bars, im Krankenhaus, als Hilfe bei Renovierungsarbeiten, in Büros.
Erst als sie 27 Jahre alt war und bereits zwei Alben veröffentlicht hatte, wurde ihr ein Studienplatz für Medizin zugesagt, den sie dann nicht mehr wollte. Sie hatte sich für die musikalische Laufbahn entschieden.
1976 zieht Ulla Meinecke nach Hamburg, und das Schreiben und Singen werden zum Beruf – langsam aber sicher und mit diversen Bürojobs im Hintergrund, die (noch) als Lebensgrundlage nötig sind.
1977 veröffentlicht Ulla Meinecke ihre erste Langspielplatte in Zusammenarbeit mit Udo Lindenberg als Produzent bei Teldec: „Von toten Tigern und nassen Katzen". In üblicher Weise hat sie Demos verschickt. Udo Lindenberg war der einzige, der das richtige Näschen für das noch unentdeckte Talent hatte.
Es ist auch das Jahr, in dem Ulla Meinecke ihr erstes Lied veröffentlicht: „Für dich tu ich fast alles". Geschrieben hat sie es ungefähr mit 20 für einen guten Freund zum Geburtstag, und zwar den Text und die Musik. Später wurde es von Paul Vincent-Gunia verändert.

Weiter geht's auf Seite 12

Für dich tu ich fast alles

Text und Musik: Ulla Meinecke
Bearbeitung: Paul Vincent-Gunia

Ich saß auf dei - nem Au - to nachts um halb drei

auf'm Kof - fer - raum. Das war im Win - ter,

fast schon En - de Ja - nu - ar, doch ei - gent - lich fror ich kaum.

Wir hät - ten auch zu mir auf - geh'n kön - nen, doch das

wär' nicht das - sel - be ge - we - sen. Im Win - ter drau - ßen für

dich Gi - tar - re spiel'n, das ist so wie Mär - chen vor - le - sen.

Denn für dich tu ich fast al - les, so-

gar mich ex - trem er - käl - ten, o - der am zwei - ten Weih - nachts - fei-

er - tag im Gar - ten dei - ner El - tern mit dir zel - ten.

2.

Oder weißt du noch
als wir in Dänemark war'n.
Um überhaupt dahin zu kommen
mußten wir anderthalb Tage fahr'n.
Und fünf Minuten nach Sylvester,
das weiß ich noch, als wär' es gestern,
da haben wir uns ganz schön lange angeschaut,
und dann lagen wir in den Dünen mit ,ner Gänsehaut.
'N chronischen Husten hab ich seitdem
doch trotzdem war's unheimlich schön.

Refrain:
Denn für dich tu ich fast alles
sogar mich extrem erkälten
oder am zweiten Weihnachtsfeiertag
im Garten deiner Eltern mit dir zelten.

3.

Ich schenk' dir nach und nach
meine Gesundheit, wenn du willst,
weil du dich auch bei unter null Grad
so fürchterlich toll anfühlst.

Refrain:
Denn für dich tu ich fast alles
sogar mich extrem erkälten
oder am zweiten Weihnachtsfeiertag
im Garten deiner Eltern mit dir zelten.

© 1977 Ulla Meinecke

Ulla Meinecke zu *Für dich tu ich fast alles*:

„Ich schrieb dieses Lied, als ich etwa zwanzig Jahre alt war, und zwar für einen guten Freund zum Geburtstag.
Beides, der Text und die Musik sind von mir. Paul Vincent-Gunia hat mir später geholfen, es musikalisch besser zu machen."

Die Tänzerin

Text: Ulla Meinecke
Musik: Edo und Viko Zoni

Wir flie - gen bei - de durch die Näch - te,

se - geln durch den Tag, am An - fang war ich

si - cher, daß ich sie nicht mag. Sie hat so breit gegrinst,

doch ihr Blick war wie durch Glas,

und ih - re Sä - tze wie Tor - pe - dos.

und je - des La - chen saß.

Du bist die Tän - ze - rin im Sturn.

Du bist ein Kind auf dün nem Eis.

Du schmeißt mit Lie - be nur so um dich.

und im - mer triffst du mich.

Und da saß sie rückwärts auf dem Stuhl, mit der Lehne nach vorn und fragt: was hab'n wir bei - de hier ver - lor'n?

2.

Wie zum Duell seh' ich sie durch den Laden geh'n,
wo die Kokser ganz still an den Wänden steh'n.
Die fröhliche Wüste, wo die Barfrau sticht wie ein Skorpion
und die Mädels, wie in Zellophan, spielen alle Saxophon.
Und da saß sie, rückwärts auf dem Stuhl, mit der Lehne nach vorn
und fragt, was hab'n wir beide hier verlor'n?

Refrain:
Du bist die Tänzerin im Sturm.
Du bist ein Kind auf dünnem Eis.
Du schmeißt mit Liebe nur so um dich,
und immer triffst du mich.

3.

Wir fliegen beide durch die Nächte, segeln durch den Tag;
inzwischen bin ich sicher, du weißt, daß ich dich mag.
Jetzt sitz' ich neben dir, wir fahren durch die nasse Stadt.
Ey, komm, jetzt fahr'n wir deinen Tank leer, bis es ausgeregnet hat.

Refrain:
Du bist die Tänzerin im Sturm.
Du bist ein Kind auf dünnem Eis.
Du schmeißt mit Liebe nur so um dich,
und immer triffst du mich.

© 1983 Ulla Meinecke

Ulla Meinecke zu *Die Tänzerin*:

„Dieses Lied ist aus einem Gefühl heraus entstanden. Ich habe keine geistigen ‚Vorlagen' für meine Lieder, ich schreibe sie immer aus meinen Gefühlen heraus – ohne eine rationale Basis. Das Gefühl ist für mich die reinste Wahrheit."

Heißer Draht

Text: Ulla Meinecke
Musik: Herwig Mitteregger

Le - bens - zei - chen dann und wann. Mal ein paar Blu - men, mal ein

Te - le - gramm. Mit - ter - nacht, und ich schreib' dir was, doch ich

schick's nie - mals ab, und es kommt nie - mals an.

Ich geb' dir ein Zei - chen -doch du wirst's ü - ber - seh'n,

und trotzdem weiß ich, daß wir bei - de uns gut ver - steh'n.

Fern - ge - sprä - che -hei - ßer Draht.

Du klingst so nah aus 'ner an - dern Stadt.

Fern - ge - sprä - che -hei - ßer Draht.

Du klingst so nah aus 'ner an - dern Stadt.

2.

Ich bin ein Telefonjunkie - ich heb' immer ab.
Mitten in der Nacht - wahrscheinlich noch im Grab.
Und das kennst du so genau,
deshalb rufst du mich an im Morgengrau'n.

Du gibst mir ein Zeichen - doch ich werd's überseh'n.
Und trotzdem weiß ich, daß wir beide uns gut versteh'n.

Refrain:
Ferngespräche - heißer Draht.
Du klingst so nah aus 'ner andern Stadt.

3.

Und das Telefon schweigt, weiß ich, das bist du.
Du siehst dir selbst beim Schlafen zu.
Kein lila Regen - es ist einfach naß,
und draußen wird's blau, und du schaust durch das Glas.

Du gibst mir kein Zeichen - doch ich hab's geseh'n.
Und deshalb weiß ich, daß wir beide uns doch versteh'n.

Da ist noch etwas, was ich sagen kann:
Mach auf - ich bin nebenan.

Ulla Meinecke zu *Heißer Draht*:

"Dieses Lied entstand in einer Zeit, in der das Telefon noch seine Romantik hatte. Das Telefon hat für mich etwas Magisches, etwas Besonderes – ohne vorprogrammierte Hektik, wie es zum Beispiel bei Handys der Fall ist. Ich leiste mir den Luxus, kein Handy zu haben. In einer Zeit, als es mit wirtschaftlich nicht so gut ging, störte es mich am meisten, wenn jeden Monat das Telefon abgestellt wurde, weil ich meine Rechnung nicht bezahlt hatte ..."

Ulla Meinecke
(2. Teil)

1978 Nach Erscheinen ihres zweiten Albums „Meinecke Fuchs" will Ulla Meinecke sich verändern, auch mal mit anderen zusammenarbeiten. – Die kreative Zusammenarbeit mit Udo Lindenberg gerät in eine Sackgasse, was beiden auch bewußt ist.

Ulla Meinecke will etwas anderes machen, sich weiterentwickeln, neue Eindrücke gewinnen.

1979 zieht sie nach Berlin und beginnt die Zusammenarbeit mit Herwig Mitteregger als Komponist, der später auch als Produzent mit ihr zusammenarbeitet.

Ulla Meinecke gründet ihre erste eigene Band.

1980 „Überdosis Großstadt", das dritte Album erscheint, mit dem Produzenten Udo Arendt und mit Herwig Mitteregger als Komponist.

1981 produziert sie mit Herwig Mitteregger das Album „Nächtelang".

1983 Album Nr. 5 „Wenn schon nicht für immer, dann wenigstens für ewig" erscheint, unter anderem mit einem ihrer bekanntesten Titel „Die Tänzerin".

Von nun an arbeitete Ulla Meinecke auch mit verschiedenen anderen Komponisten zusammen, darunter Edo Zanki, Annette Humpe und Rio Reiser.

Zum ersten Mal in den letzten sechs Jahren scheint sich Ulla Meineckes Hoffnung auf ein Berufsleben als Dichterin und Sängerin zu bewahrheiten. Das Album verkauft sich gut. Ausgiebige Tourneen in verschiedenen Besetzungen folgten. In den Jahren

1985-1988 erscheinen vier weitere Alben (Live und Studio).

1985 entsteht auch das Lied „Heißer Draht": „ ... mit Herwig Mitteregger als Komponist. Es entstand in einer Zeit, in der das Telefon noch seine Romantik hatte.

1988 kam „Ein großes Herz" heraus.

1991 Das Album „Löwen" erscheint. Es ist eine Sammlung von Ulla Meineckes Lieblingssongs. Sie hat diverse Lieder englischer, amerikanischer und australischer Autoren werkgetreu ins Deutsche übertragen und interpretiert. „Es ist etwas völlig anderes, als ich bisher gemacht habe", kommentiert sie, „es sind fremde Songs, nicht für meine Texte komponierte Lieder. Aber es ist sehr reizvoll, mit fremdem Material umgehen - und neu. – Ich denke, alles hat irgendwann einmal eine Veränderung nötig: auch ich."

1994 mit Uwe Hoffmann produziert Ulla Meinecke ihr vorerst letztes Album „AN!" und geht erneut auf Tournee, gleich drei Mal, wie immer quer durch Deutschland, Österreich und die Schweiz. „Alles schäumt", eine Art Collage verschiedenster emotionaler Zusammenhänge, eine poetische Weise, in der sich die äußere Welt spiegelt.

1996 entwickelt sie ein neues Programm mit dem Titel „Songs und mehr – ein Abend mit Ulla Meinecke und Reinmar Henschke am Flügel".

„Ich habe immer schon mit der Band zwischen den Songs Geschichten erzählt. In dem neuen Programm sind die Sprachteile sehr ausgiebig."

1997 kommt dieses Programm erstmals im Theater Lindenfels in Leipzig auf die Bühne.

Außerdem gibt sie im Laufe dieses Jahres über hundert Konzerte in Deutschland, in der Schweiz und in Österreich (inzwischen hat sie über 160 Mal mit diesem Programm auf der Bühne gestanden).

1998 Aufgrund des großen Erfolges dieser Konzerte veranstaltete sie bis zum Sommer wieder viele Aufführungen.

Anfang 1999 wird Ulla Meinecke mit der gleichen Besetzung (Reinmar Henschke am Flügel) ein neues Programm vorstellen, das ihr Publikum erneut „mit lässiger Geste in bizarre Geschichten entführt, die sie unerwartet in ihren wunderschönen Songs auflöst." Weiter heißt es im Vorankündigungstext: „Die Vielfalt der Themen ihrer Songs und ihrer musikalischen Möglichkeiten läßt das Ereignis überraschend bleiben."

Ulla Meinecke lebt in Berlin und beschäftigt sich neben den Produktionen und Konzerten noch mit diversen anderen künstlerischen Projekten. Welche es genau sind, will sie noch nicht verraten.

Dadurch, daß sie stets in Veränderungen mit sich und ihrer Arbeit lebt, dürfen wir noch auf Überraschungen hoffen.

Sie sagt selbst:
„Dinge können und müssen sich immer mal wieder verändern. Gestern lebte es noch, und morgen ist es mausetot.

Bevor das passiert, verändere ich etwas – damit die Dinge lebendig sind."

Ein großes Herz

Text: Ulla Meinecke
Musik: Manfred Maurenbrecher

Strophe

Die At - mo-sphä - re hier ist küh - ler als das Lä-cheln von der

Ste - war-dess: "Woll'n Sie noch Ka - ffee?" Du siehst sie

la - chen mit den Wöl - fen: Woll'n Sie denn schon geh'n?

Du mußt geh'n und mußt den Mond seh'n, am be - sten am

Meer. Bis zum Hals im ech - ten Was - ser steh'n

Ein gro - ßes Herz wird leicht schwer.

Refrain

Zeit für'n Tag am Fluß, 'ne Nacht wie'n lan - ger Kuß;

Träu - me an 'nem sü - ßen Som-mer - nach-mit - tag.

Bist müde vom Fliegen
verstehst du nicht vom Landen, dann stürzt du ab.
Wie ist ihre Position?
Kennst keine Wege mehr zum Hafen,
melden sie sich schon!

Du muß geh'n und mußt den Mond seh'n,
am liebsten am Meer.
Bis zum Hals im echten Wasser steh'n.
Ein großes Herz wird leicht schwer.

Refrain
Zeit für'n Tag am Fluß
'ne Nacht wie'n langer Kuß
Träume an 'nem süßen Sommernachmittag.

3.
'Ne Party für die Kunst,
das ist so'n Abend, den du brauchst, wie'n Loch im Kopf
Wie nett, Sie hier zu seh'n.
Die langweilen sich zu Tränen,
finden Sie's nicht schön?

Du mußt geh'n und den Mond seh'n
am besten am Meer
bis zum Hals im echten Wasser steh'n.
Ein großes Herz wird leicht schwer.

Refrain
Zeit für'n Tag am Fluß
'ne Nacht wie'n langer Kuß
Träume an 'nem süßen Sommernachmittag.

© 1988 Ulla Meinecke

Ulla Meinecke zu **Ein großes Herz**:

„Ich habe es für einen Freund geschrieben, einen Schauspieler, deren Namen in diesem Zusammenhang unwichtig ist. Es ist ein Mensch, den ich als Künstler sehr verehre, ein Mensch, der nicht äußerlich lebt, sondern innerlich - ein ganz purer Mensch."

Alles schäumt

Text: Ulla Meinecke
Musik: Rudy Nielson

Glit-zern-de Fon - tä - nen, glän - zen-des Me - tall;

Tag und Nacht ge - öff - net, tan - ken kannst du

ü - ber - all. Leuch - ten - de Zu - flucht

in 'ner lee - ren Nacht. Im Ra - di - o

im - mer je - mand, der für dich lärmt und lacht.

NICHTS DARF FLIE - SSEN, A - BER AL - LES SCHÄUMT.

KEI - NER VERSCHENKT WAS, A - BER AL - LES TRÄUMT

NICHTS DARF FLIE - SSEN, A - BER AL - LES SCHÄUMT.

KEI - NER VER - SCHENKT WAS, A - BER AL - LES TRÄUMT von

Flu - ten - Flu - ten - Flu - ten.

16

2.
Designer-Sex
grell, schnell, 'ne Nacht wie ein Schrei,
erwachsen wie im Kino
pralle Zeit rauscht vorbei.
Die Kohle geboten, ihm oder ihr,
am nächsten Tag ein Anruf
oder ist das zu intim?

NICHTS DARF FLIESSEN, ABER ALLES SCHÄUMT
KEINER VERSCHENKT WAS, ABER ALLES TRÄUMT
von Fluten - Fluten - Fluten.

3.
Raus mit der Sprache! Achtung!
Die Fragen kommen zuletzt.
Wenn ich's nicht mach', dann macht's ein and'rer.
Wer bin ich jetzt?
Manche sind im Rennen.
Manche fliegen raus.
Manche geh'n verloren.
And're geh'n nach Haus.

NICHTS DARF FLIESSEN, ABER ALLES SCHÄUMT
KEINER VERSCHENKT WAS, ABER ALLES TRÄUMT
von Fluten - Fluten - Fluten.

4.
Jedem seine Rüstung
'ne Tonne Blech und mehr.
Dicke Uhren - keine Zeit,
das Spiel wird hart und schwer.
Jeder braucht jemand,
der kommt, und der sich zeigt
in Nächten, wo die Wölfin heult
und die Hitze langsam steigt.

NICHTS DARF FLIESSEN, ABER ALLES SCHÄUMT
KEINER VERSCHENKT WAS, ABER ALLES TRÄUMT
von Fluten - Fluten - Fluten.

© 1994 Ulla Meinecke

Ulla Meinecke zu *Alles schäumt*:

"Dieses Lied ist eine Art Collage verschiedenster emotionaler Zusammenhänge - eine poetische Weise, die sich ausschließlich auf die innere Welt bezieht."

Klaus Hoffmann

In Klaus Hoffmanns Biographie zeigt sich zunächst der „Leidensweg des jungen K.", aus dem nach langer innerer Reife ein starker und doch stets zweifelnder Liedermacher, Sänger und Darsteller wurde.
Ein Weg, den vielleicht viele gehen, jedoch wenige so ehrlich und so voller Gefühl...

1951 geboren in Berlin am 26. März. Seine Kindheit verbringt er in der Kaiser-Friedrich-Straße in Charlottenburg. „In seinem Kopf wachsen kleine Geschichten, die er im Kindergarten zum Besten gibt. Fabel-haft ausgeschmückt, daß sich die Nachkriegsbalken biegen. Ein Arbeiterkind in einer engen Welt. Mit unsichtbaren Grenzen, die er bald überschreiten wird."[1]

1961 Der Vater stirbt als Klaus Hoffmann gerade zehn ist. Mit ihm stirbt auch ein Stück seiner Kindheit. Zurück bleibt der Gedanke: „Ich habe das Vorbild ‚Vater' eigentlich nur krank und leidend erlebt.." Zwei Jahre später heiratet die Mutter wieder: „Ich habe meinen Stiefvater nie als meinen Vater angenommen, ... weil ja mein eigener Vater innerlich noch so eine große Rolle spielte, die mir gar nicht bewußt war."
Die Folge: Klaus Hoffmann zieht sich zurück, baut sich seine eigene Welt und schreibt.

1967 beginnt er eine Lehre als Außenhandelskaufmann in der Stahl- und Eisenbranche, hält sie zähneknirschend durch und beendet sie drei Jahre später. Es ist die Zeit, in der er auch in der Club-Szene Berlins seine ersten eigenen Lieder singt – im gleichen Umfeld wie Reinhard Mey, Ulrich Roski, Hannes Wader, Susanne Tremper...

1970 Nach der Lehre beginnt Klaus Hoffmann sein Schauspielstudium am Max-Reinhardt-Seminar. Doch vorher will er nochmal weg – ausbrechen.
Mit Freunden reist er einige Zeit durch Asien. In der Türkei kommt es zu einem Autounfall, an der persischen Grenze lassen sie den Wagen stehen und gehen zu Fuß weiter. Irgendwann erreichen sie Kabul. Die ganze Reise war von Geldknappheit und körperlichen Strapazen begleitet, die er später so beschrieb: „Diese Reise war ein krasses Durchschneiden der Nabelschnur". In seinem Lied „Ciao bella" zeigt er das in diesem Zusammenhang stehende Ereignis der inneren Lösung von der Mutter.

1975 beginnt er seine professionelle Laufbahn als Sänger mit Liedern von Jacques Brel, die er ins Deutsche überträgt. Im selben Jahr erscheint seine erste Schallplatte.

1976 erhält er für die Hauptrolle im Kino- und TV-Film „Die neuen Leiden des jungen W." die „Goldene Kamera" und ein Jahr später den „Bambi". Sozusagen über Nacht ist er bekannt und bekommt seine erste eigene TV-Show und eine Rolle in Ingmar Bergmanns „Das Schlangenei".

1978 Klaus Hoffmann besinnt sich auf seine Musik. Für seine Brel-Interpretationen bekommt er den „Deutschen Kleinkunstpreis".

1980 Klaus Hoffmann „taucht unter", um zwei Jahre später mit einem neuen musikalischen Konzept wieder „aufzutauchen". In einem Interview des Jahres 1982 äußerte er: „Früher habe ich mich sehr an das französische Chanson angelehnt. Als Brel dann tot war, habe ich mich sehr von all den ‚Vatertypen' distanziert, die ich hatte. ... Bis ich in den letzten drei Jahren mit Leuten zusammentraf, die aus der Jazz- und Rock'n Roll-Szene kamen und mich einfach angestoßen haben."
Die Platte „Veränderungen" erscheint. Mit ihr läßt Klaus Hoffmann den „lieben Jungen" hinter sich und baut sich ein neues Konzept: sich suchen, nicht: sich finden.

1983 Klaus Hoffmann singt vor 6000 begeisterten Zuschauern in der „Noch-DDR"

1984 Quer durch die Republik mit „Ciao bella".

1985 Wieder unterwegs. Dieses Jahr mit „Morjen Berlin". Ein Riesenerfolg.

1987-1990 Konzerte in Athen, Frankreich, der ehemaligen DDR und Aufnahmen der Alben „Klaus Hoffmann", „Es muß aus Liebe sein" und „Klaus Hoffmann Live ‚90". Auch die Anthologie „In Liebe" wird veröffentlicht.

1991–1994 Neue Alben entstehen: „Zeit zu leben" und „Sänger" und viele andere Aktivitäten wie TV-Shows, Videos und Konzerte.

1995 In den holländischen Wisseloord-Studios wird „Erzählungen" aufgenommen, mit dem Untertitel „20 Jahre Klaus Hoffmann". Ein Dankeschön an alle, die ihn in 20 Bühnenjahren begleitet haben wird veröffentlicht: Dort heißt es unter anderem: „ ... man hat oft so eine Sehnsucht, und dann kehrt man zurück mit gebrochenen Flügeln, so als wäre nichts geschehn. – Dieser Satz, den ich mir von Ödön von Horvarth entliehen habe, stimmt nicht mehr, Freunde. Wer sucht, der findet..."

1996 Die Live CD „Friedrichstadtpalast 20.00 Uhr" erscheint.

1997 Klaus Hoffmann schreibt das Musical „Brel – Die letzte Vorstellung". Weltpremiere war am 12. Juni 97. Für das Bühnenereignis des Jahres erhält er die „Goldene Europa 97".

1998 im Herbst produziert Klaus Hoffmann eine neue CD: „Hoffmann Berlin"; danach wird er wieder auf eine Tournee gehen.
Außerdem schreibt er momentan an seinem Buch „Afghana", aus dem im nächsten Jahr wahrscheinlich ein Musical entstehen soll.

---

[1] Worte von Wolfgang Eickelberg aus „Erzählungen – 20 Jahre Klaus Hoffmann

Blinde Katharina

Text und Musik: Klaus Hoffmann

Sie trägt auf ih-ren Klei-dern Phosphor-far-ben für die Nacht. Für sie ist im-mer Schweigen, ob sie re-det o-der lacht. Ih-re Au-gen sind die Hän-de, sie er-kennt dich durch's Ge-hör! In ih-rer Welt sind vie-le Wän-de, die sieht sie bloß nicht mehr.

Ka-tha-ri-na, mach mir Mut und hal-te mich, gibt's mor-gen auch kein Wie-der-sehn. Ich bin doch der Blin-de da-rum füh-re mich! Du kannst im Dun-kel gehn.

Nur weil ich ver-mu-te, daß ich se-hend bin, brauch'

ich doch nichts er - ken - nen. Komm, wir schmeißen ein - fach al - le

Re - geln hin, du zeigst mir wie man sieht.

2.

Sie lehrt mich aus der Stille, / wie man wartet, wie man schweigt,
und zeigt aus Herzensfülle / mal Zorn, mal Heiterkeit.
Wenn sie liebt, dann ist nur Liebe, / wenn sie haßt, dann ist nur Haß,
alles, was sie tut, ist jetzt sofort / mit unbegrenztem Spaß.

Refrain:

Katharina, mach mir Mut und halte mich, / gibt's morgen auch kein Wiedersehn.
Ich bin doch der Blinde, darum führe mich! / Du kannst im Dunkel geh'n.
Nur weil ich vermute, daß ich sehend bin, / brauch' ich doch nichts erkennen.
Komm, wir schmeißen einfach alle Regeln hin,
du zeigst mir wie man sieht.

3.

Blinde sind wie Kinder, / deren Herzen man zerbricht,
sie wollen auch im Winter / nur ans Licht, nur ans Licht.
(Nur der A-Teil, dann gleich zum Refrain)

Refrain:

Katharina, mach mir Mut und halte mich, / gibt's morgen auch kein Wiedersehn.
Ich bin doch der Blinde, darum führe mich! / Du kannst im Dunkel geh'n.
Nur weil ich vermute, daß ich sehend bin, / brauch' ich doch nichts erkennen.
Komm, wir schmeißen einfach alle Regeln hin,
du zeigst mir wie man sieht.

© Musik und Text Klaus Hoffmann, stille-music, Berlin

Klaus Hoffmann über *Blinde Katharina*:

„Dieses Stück entstand in Finnland und ist zu einem großen Lied gewachsen, weil ein finnischer Bauer, wie es in den 60er Jahren sehr üblich war, dem Wodka sehr nahe stand und mir eine finnische Volksmelodie vorsang. Aus dieser Melodie, die ich ihm im brechtschen Sinne geklaut habe, entstand ‚Blinde Katharina'. Ansich ist es ein Von-innen-nach-außen-Lied und kam auch entsprechend an, weil es in den 70ern über-haupt nicht üblich war, daß man von inneren Vorgängen sang, von einer Frau, die mit dem inneren Auge mehr sieht, als die Realität nach außen zu erklären hatte. ‚Blinde Katharina' ist bis heute ein Hoffmann'scher Hit, aber wie ich meine nicht unbedingt stereotyp. Mehr will und kann ich nicht dazu sagen."

Ciao bella

Text und Musik: Klaus Hoffmann

Ich droh-te zu er-trin-ken, ich dach-te zu ver-sin-ken, in

dir und oh-ne dich al - lein sein hieß für mich

oh-ne dich zu sein. Jetzt liegt er da der star-ke

Ma-ma-Mann und war-tet auf den Schlaf, der so nicht

kom-men kann. Vie-le Frau-en tru-gen dein Ge-sicht,

ich weiß nicht, den-ke ich an sie o-der den-ke ich an dich? Ciao

bel - la, bel - la ciao. Ich geh' zu

mir nach Haus. Ciao bel - la, bel - la ciao!

1. Aus Kläuschen wur-de Klaus

2. Ciao

2.

Du hattest mich besessen
ich durfte nicht vergessen
wer mich unter Qualen gebar.
So liebevoll und leidend
konntest du nur,
heilig sein.
Du warst meine erste Liebe
doch dein Bett war eine Wiege
werd' ich jemals ohne dich sein
Mutter
ewig dir verbunden sein
N E I N

Klaus Hoffmann zu *Ciao bella*:

„Wie alle Abschiedslieder, die ich im Grunde aus den Augen eines Kindes schrieb, eckte auch dieses Lied an. Wir hatten Mühe, es in die Sender zu bekommen, noch ehe wir in das Raster der Ablehnung von deutschprachigen Texten fielen, wie es im Moment üblich ist. Ciao bella ist insofern interessant, weil es natürlich die Verabschiedung von der Mutter ist. Lucio Dalla wollte das Lied nach Italien holen, was nun zum Glück oder vielleicht blöderweise nicht geschah. Ich glaube schon, daß es ein internationales Lied ist. Interessant ist der Inhalt. Es ist hier überhaupt nicht üblich, über diese Dinge zu singen, was andere Leute wie Jony Mitchell in Amerika zum Beispiel ohne weiteres getan haben. Ich glaube, daß sehr viele Lieder von mir von Mutter-Vater-Kind handeln."

Ich gehe in ein anderes Blau

Text und Musik: Klaus Hoffmann

Das A - bend - land ist aus - ge - brannt, Händ - ler he - cheln

durch das Land, prei - sen schon die Re - ste; Der

Fort-schritt lahmt, er gibt uns auf, wir schrei-ten schon zum

Aus - ver-kauf und sind nur noch die Gä - ste. Wir

ha - ben viel und sind doch nichts, der Hun - ger steht uns im

Ge - sicht und wir kau - fen, kau - fen, kau - fen, was wir nicht

brau-chen, brau-chen, brau-chen. Wer hat ge - sagt, daß so - was Le-

ben ist? Wer sagt, daß so - was Le - ben ist?

Ich ge-he in ein an-de res blau.

2.Das

Doch ich glau - be nicht mehr, nein ich glau - be nicht

mehr, ich glau - be kei - nem Händ - ler mehr, ich

glau - be nicht mehr, nein ich glau - be nicht mehr, ich

Da capo (3. Strophe) al fine

glau - be kei - nem Händ - ler mehr, glaub' nicht mehr.

2.
Das Abendland ist ausgebrannt;
Händler hecheln durch das Land
und preisen ihre Lügen.
Der Fortschritt dient uns längst nicht mehr
wir sind die Sklaven, er der Herr
wir geben unser'n Segen.

Es ist schon zwölf
wir wissen es
wir leben
und vermissen es
und wir kaufen, kaufen, kaufen
was wir nicht brauchen, brauchen, brauchen.

Wer hat gesagt, daß sowas Leben ist?
wer sagt, daß sowas Leben ist?
Ich gehe in ein anderes Blau.

Doch ich glaube nicht mehr,
ich glaube keinem Händler mehr,
ich glaube keinem Händler mehr,
ich glaube nicht mehr,

nein ich glaube nicht mehr,
ich glaube keinem Händler mehr,
glaub' nicht mehr.

3.

Das Abendland ist ausgebrannt
Händler hecheln durch das Land
und preisen schon die Asche.
Der Fortschritt ist ein kranker Gaul
nach außen frisch, doch innen faul
er liegt uns auf der Tasche.

Wir schlafen fest
und hoffen noch
nach all den Kriegen
immer noch;
und wir gaffen, gaffen, gaffen
auf all die Waffen, Waffen, Waffen.
Ja, der Herr wird es schon schaffen,
na ganz bestimmt wird er es schaffen.

Wer hat gesagt, daß sowas Leben ist?
Wer sagt, daß sowas Leben ist?
Ich gehe in ein anderes Blau.

Klaus Hoffmann zu *Ich gehe in ein anderes Blau*:

„Dieses Lied entstand in Griechenland nach einem Gedicht von Rolf Dieter Brinkmann, der auf Naxos den Abzweig nimmt nach Filoti in die Berge. Er fährt durch ein Tal. Daraus entstand bei mir so etwas wie das Prinzip Hoffnung. Ich habe daraus ein Gesellschaftslied gemacht, obwohl ich politischen Texten nicht unbedingt sehr nahe stehe. So half aber das grüne Grün von Naxos und das blaue Blau des griechischen Himmels dazu, mir soviel Hoffnung zu geben, daß ich mich auf meine eigenen Füße stellte."

Klaus Hoffmann

Nachsatz aus „Erzählungen – 20 Jahre Klaus Hoffmann"

„Der Weg, den ich gehe, ist immer mein eigener Weg,
den ich mit anderen teilen möchte"...
Man denkt unwillkürlich an seine Konzerte,
die er immer zu einem Fest gestaltet.
Nicht er „da oben" und die anderen „da unten",
sondern Klaus als „Brückenbauer".
So hat er sich immer gesehen.
Schon als Kind.
Er ist ein überzeugter und überzeugender Bühnenarbeiter
Und ein wirklicher Geschichtenerzähler.
Spielerisch hat er die Filme im Kopf
Und setzt sie in seinen Liedern um.
Poetisch, witzig, unnachahmlich.

Was bei Klaus immer wieder besticht,
ist die totale Hingabe,
ohne doppelten Boden.
An die Dinge herankommen,
sie beim Namen nennen.

Seit einiger Zeit ist der Schauspieler, Sänger, Texter, Komponist
auch sein eigener Produzent.
So bleibt diese so typische Handschrift unverwischt.
Keine Kompromisse.

Das Prinzip der Hoffnung ist die Maxime dieses Künstlers.

Jedes Kind braucht einen Engel

Text und Musik: Klaus Hoffmann

Einleitung

Sie sind der An - fang und das Licht doch wir sehn es nicht; sie sind das Wort, daß nie - mals bricht doch wir ver - steh'n es nicht. Sie ha - ben Her - zen, die be - grei - fen je - de Hand, die gibt und öf - fnen sich dem, der sich zeigt und ih - nen Lie - be gibt. Je - des Kind braucht ei - nen En - gel der es schützt und der es hält, der es schützt und der es hält. Je - des Kind braucht ei - nen En - gel, der es auf - fängt wenn es fällt.

2. Strophe, *Teil 1*

Sie sind das Wasser und die Kraft
doch wir beugen sie
die Kraft, die neues Leben schafft
doch wir beschneiden sie.

Teil 2

Sie haben Augen
die können viele Sonnen sehn
doch wer sie bricht,
der wird in ihnen
seinen Schatten seh'n.

Refrain:
Jedes Kind braucht einen Engel
der es schützt und der es hält
jedes Kind braucht einen Engel
der es auffängt, wenn es fällt.

3. Strophe, *Teil 1*

Sie sind der Boden, der uns trägt
doch wir belächeln sie
das Grün, das aus den Zweigen schlägt,
doch wir zerbrechen sie.

Teil 2

Sie sind die Zukunft
doch wir sperren ihre Träume ein
und sehen fassungslos:
Aus unsern Mauern stammt der erste
Stein.

Refrain:
Jedes Kind braucht einen Engel
der es schützt und der es hält
jedes Kind braucht einen Engel
der es auffängt, wenn es fällt.

© Text und Musik: Klaus Hoffmann, stille-music, Berlin

Klaus Hoffmann zu *Jedes Kind braucht einen Engel*:

„Dieses Lied ist vielleicht die eindeutigste Hoffmann-Haltung gegenüber Erwachsen- und Kindsein. Der eine reicht dem anderen die Hand, wobei hier sicherlich ganz klar gesagt werden muß, daß Schutz, Begleitung und Pädagogik beim Kind beginnt, auch wenn man das eigene Kind in sich selbst meint. Es spricht durch sich selbst. Die Leute weisen immer wieder darauf hin, und es sind nicht nur Mütter, die davon profitieren. Wahrscheinlich kommt das Phänomen, daß Kinder meine Texte nachsingen, von so einem Lied.

Salambo

Text und Musik: Klaus Hoffmann

Ich bin Kell-ner hier in die-sem tol-len Schup-pen, wenn das
Sit-te kom-men je-den A-bend Her-ren, falls sich
nacht zeigt sich vor all den fei-nen Leu-ten die Mo-

Licht ausgeht, be-ginnt 'ne hei-ße Schau, aus der gan-zen Welt be-zie-hen wir die
ei-ner von den Gä-sten mal be-schwert, doch die Pro-mi-nenz läßt sich da-von nicht
ral, ganz un-geschminkt, doch völlig nackt auf den Brettern, die die gei-le Welt be-

Nut-zen, doch die we-nig-sten da-von sind ei-ne Frau. Von der
stö-ren, auch Mi-ni-ster ha-ben hier schon mal ver-
deu-ten, zieht sie Ge-sich-ter, die man nur zu Hause

kehrt. Al-le sind bei uns zu je-der Zeit will-kom-men, so-gar
macht. Die Büh-ne frei für So-dom und Go-mor-rha, Graf Por-

Gruppen-rei-sen wer-den ar-ran-giert, fühlt sich ei-ner von den Her-ren leicht be-
no ist be-reit für je-den Ritt, Dornmös-chen fällt vor Abscheu in Sex-ta-

nom-men wird er sanft in ei-nen Ne-ben-raum ge-führt. Heu-te
si-a, a-ber al-le klatschen wie die Blö-den

mit. Und ich Kell-ner hier, sie ken-nen mich ja schon, noch um

zwölf bin ich die Spit-zen at-trak-tion, dann heiß' ich Clau-di-a und tan-ze die Fan-

30

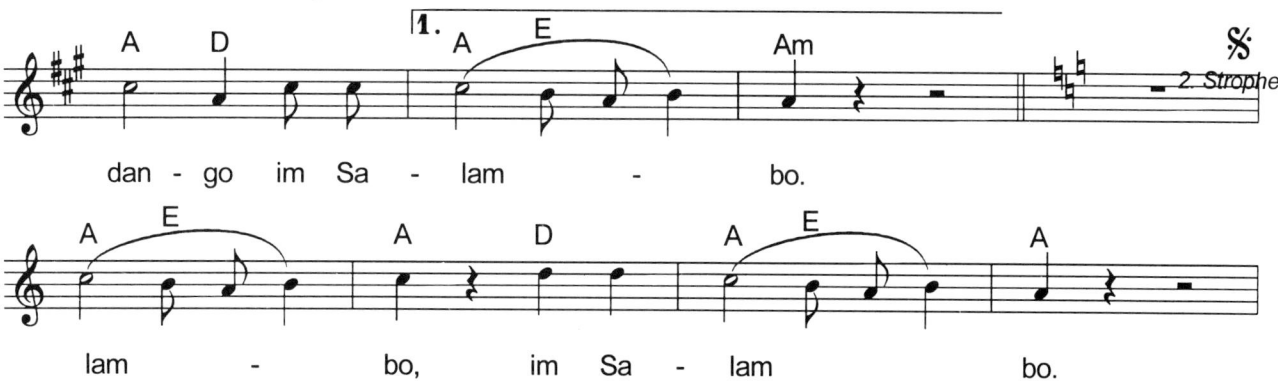

zwölf bin ich die Spit-zen at-trak - tion,   dann heiß' ich Clau-di - a und tan-ze die Fan-

dan - go im Sa - lam - bo.

lam - bo,   im Sa - lam bo.

2. A: Wo die Liebe auffällt, hinterläßt sie Spuren,
denn sie musiziert bestimmt keinen Choral,
unter all den schönen Strichern und den Huren
fühlen Spießer und Studenten sich normal.

A: Hier gibt's Zwerge und dressierte Pekinesen
schlanke Tänzer steigen in das Lotterbett
Ledermänner, Gummidamen, Fabelwesen
doch die Schlimmsten davon sind aus dem Parkett.

B: Legionäre kommen von den fernsten Küsten,
um dabeizusein bei unserm tollen Fest,
manche treiben es sogar mit Polizisten,
und bezahlen noch dafür, daß man sie läßt.

A: Ich steh' meistens hinterm Vorhang an der Rampe
und paß auf, daß alle ächzen, knutschen, schrei'n,
doch benimmt sich einer wie ,'ne echte Schlampe,
wird' ich auch privat und hau' ihm eine rein.

B: Die Königin bei uns ist Josefine,
sie ist so etwas wie die heilige Nacht,
und jeder starrt ergriffen auf die Bühne,
wenn der Engel seine Kerzennummer macht.

Und ich Kellner hier, sie kennen sich ja schon,
noch um zwölf bin ich die Spitzenattraktion,
dann heiß' ich Claudia und tanze die Fandango im Salambo, im Salambo.

© Text und Musik Klaus Hoffmann, stille-music, Berlin

Klaus Hoffmann zu *Salambo*:

„Mein Freund René Durand aus Hamburg, der mit seiner Tochter das Salambo leitete und mein damaliger Freund Dany Mezzasalmy hatten mich beide ermutigt, so ein exzessives Vaudeville-Lied zu schreiben. René war sogar soweit gegangen, ein Portrait von mir auf der Bühne des Salambo zu installieren, um voller Stolz diese Hymne zu präsentieren, wogegen ich mich natürlich verwehrte. Leute wie Peter Zadek und andere Künstler gingen damals sehr viel und oft ins Salambo. Leider wurde es geschlossen, aber wahrscheinlich ist es auch gut so, weil es zu einem reinen Touristennepp verfaulte."

Georg Danzer

Georg Danzer wehrte sich seit eh und je gegen Dinge wie ‚Funktionieren‘, ‚Befehle‘, ‚Organisation des eigenen Ichs‘.

Um so wichtiger sind für ihn Dinge wie ‚Gefühle‘, ‚aus dem Bauch heraus handeln‘, ‚Momentaufnahmen‘. Sein Medium ist das Lied.

„Ich glaube nach wie vor, daß das Lied die Ausdrucksform ist, die der Popmusik am meisten entspricht. Auch wenn sie heute mit neuen Elementen durchwirkt ist, gebrochener in ihrer Form. Letztlich sind es immer noch Lieder. Nicht mehr und nicht weniger. ... Ich habe mich, seit ich Musik mache, immer als Liederschreiber gesehen. Meine musikalischen Vorbilder waren Leute wie Dylan, Newman, Dalla, nicht zuletzt Lennon/McCartney.“

1946 am 7. Oktober wurde Georg Danzer in Wien geboren. Sein Vater arbeitet als Schriftsetzer, später als Beamter; seine Mutter ist Angestellte in einer Gold- und Silber-Scheideanstalt. Da beide Elternteile berufstätig sind, wächst Georg Danzer erst als Hort- später als Schlüsselkind auf. Er sagt: „Ich hatte Schwierigkeiten mit der Schule und meiner Umwelt. So gut wie keine Freunde, statt dessen Bücher und Kino. Mit dreizehn beginne ich zu rauchen und Gitarre zu spielen.“

1965 schafft Georg Danzer unter großen Schwierigkeiten seine Matura und geht anschließend zum österreichischen Bundesheer. Danach schreibt er sich an der Universität in Wien für die Fächer Philosophie und Psychologie ein.

Doch so recht scheint er sich für's Studieren nicht zu interessieren.

Das Reisen zieht er dem deutlich vor. Er trampt nach Griechenland und nach Schweden.

1967 kommt er zurück nach Wien und beginnt Lieder zu schreiben. Doch der Erfolg will sich nicht einstellen. Zwar werden seine Lieder von bekannten Sängern wie André Heller, Erika Pluhar und Marianne Mendt gesungen, aber mit eigenen Interpretationen hapert es noch.

1973 erscheint sein zweites Album: „Honigmond“. Wirtschaftlich gesehen, ist es ein glatter Flop, denn Georg Danzer hat dieses Album selbst finanziert. Die Legende erzählt, er habe sein Sparbuch mit 100.000 Schilling dafür geplündert...

1975 gelingt ihm der große Durchbruch, und zwar mit dem Lied „Jö schau", für das er sogar ein Jahr später, die ‚Goldene Schallplatte' für 25.000 verkaufte Singles bekommt. Ein Jahr später erhält er für die Verdienste um den Austropop aus England die Auszeichnung „Star of the year".

1977 schießt er mit seiner Veröffentlichung „Unter die Haut" fast ein Eigentor. Ein Song, der die Gefahren von Drogen lapidar herunterspielt, stand damals in den Schlagzeilen. Und einige Rundfunkanstalten reagierten sogar mit Sperrung dieses Titels. Doch Georg Danzers Publikum ist begeistert, so daß der Titel sogar zu einem Verkaufsschlager wird.

1978 schreibt Georg Danzer das Lied „Mach dich nicht mit Gewalt kaputt". Es handelt sich dabei um eine Auftragskomposition in Zusammenarbeit mit dem Bundeskriminalamt als Antwort auf den stark wachsenden Terrorismus. Seine Fans waren enttäuscht, da sie Georg Danzer, den Individualisten, nun vom Staat vereinnahmt sah.

Zwei Jahre später teilt er diesen Menschen folgendes mit: „Es war ein Fehler von mir, nicht zu erkennen, daß man sich von einer guten Sache auch überlegen muß, für wen man sie macht ... Ich wollte etwas Gutes tun, indem ich jungen Leuten sagte: ‚Paßt mal auf, Gewalttätigkeit ist nicht gut'." Kurze Zeit später,

1981 schrieb er „Wir werden alle überwacht" und bezieht damit die Praktken des Bundeskriminalamtes betreffend kritisch Stellung. Ein recht typischer Schritt in Danzers Liedern.

Z.B. einerseits besingt er in seinem Lied „Zehn kleine Fixer" eindeutig die Gefahr Droge als Fahrstuhl in den Tod. Andererseits sagt er: „Von mir aus soll jeder einziehen, was ihm guttut, oder wovon er glaubt, daß es ihm guttut. Ich möchte nur nicht einem Kollektiv von Menschen angehören, für die die Droge der zentrale Mittelpunkt ihrer Lebensinteressen geworden ist."

Von seinem Publikum, das in in diesem Zusammenhang stark kritisiert hat, wünscht er sich: „daß ich mich verändern darf, ohne mißverstanden zu werden, daß es sich mit mir freut darüber, daß ich heranwachse, wie Eltern bei ihren Kindern, daß es nicht alte Fotos anschaut und sagt: Ach, wärest du doch noch so wie damals."

1983 gerät Georg Danzers Produzent und künstlerischer Berater Gerhard Kämpfe mit dem Gesetz in Konflikt und verschwindet. Dadurch kommt es zu einer Unterbrechung von Danzers Karriere. In diesem Jahr produziert er seine LP „Menschliche Wärme", in der seine krisenreiche Situation zum Ausdruck kommt.

1984 , also kurze Zeit nach der Geschichte mit Gerhard Kämpfe startet Georg Danzer mit einer neuen Band eine neue, sehr erfolgreiche Produktion: „Weiße Pferde". In den folgenden neun Jahren bis

1993 produziert Georg Danzer das Album „Nahaufnahme" und spielt zahlreiche Konzerte und macht eine Tournee durch Österreich, Deutschland und die Schweiz.

Georg Danzer schreibt seine Lieder stets aus dem Bauch heraus: „Musik ist für mich in erster Linie eine Gefühlssache ... Es muß einfach kommen. Die besten Lieder, die ich geschrieben habe, sind in zehn Minuten passiert, immer frischweg, zack. Dann läufts."

Weiter geht's auf Seite 42

Der oide Wessely

Text und Musik: Georg Danzer
Bearbeitung: Alois Benetka

Wann der oi - de Wes - se - ly im Wirts - haus sitzt,

redt er gern von der Ver - gan - gen - heit.

Nur daß des für eam no net ver - gan - gen is,

weil er träumt von ei - ner neu - en Zeit.

"Ja, I sag's euch", sagt der oi - de Wes - se - ly,

"da - mals un - term Hit - ler wars scho guat!

Heut wann der noch lebn tät, ge - berts so - was net

mit der gan - zen Ter - ro - ri - sten - bruat."

Sei - ne Freund, die rua - f'n "Bra - vo We - se - ly!"
Weu da We - se - ly grad Ju - den - witz er - zöhd

und be - ställn a neu - he Run - de Bier,
und wue des fuach - bar lu - stig is,

und die bla - de Wir - tin setzt si a da - zua,
sagt die bla - de Wir - tin mit ganz

34

sagt die bla - de Wir - tin mit ganz
und sie haut si auf die fet - ten Knia.

feuch-te Augn: "Gra-tu - lie - re, gra-tu - lie - re, Herr Wes-se - ly,
kan - na kann so Ju - den - witz er - zähln wie sie!"

(Im Notenbild ab „1" bis „2" zu singen)
Draußen auf der Straßen geht a Fackelzug,
und die Fackeln leuchten durch die Nacht.
Es wern immer mehr, bis ganz taghell
draußn wird
Und bis kana mehr im Wirtshaus lacht.

*(Weiter im Notenbild ab „2" bis zum
Wiederholungszeichen)*
Fäuste rütteln draußen an der Eingangstür
Und jetzt kommt ein junger Mann herein,
und der sagt: „Wo is der oide Wessely?
Der soll unser neuer Führer sein!"

*(Den folgenden Teil nun nicht wiederholen,
sondern gleich in die Klammer 2 gehen)*
Und der oide Wessely springt auf'n Tisch
führermäßig knallt er d'Haken z'samm,
und die blade Wirtin sagt: „I habs ja g'wußt,
gratuliere, gratuliere, Herr Wessely,
kana kann den Hitlergruaß so guat wie Sie!"

(Weiter im Notenbild ab „2")
Plötzlich wach i auf und lieg daham im Bett,

aber es is eh zum Aufsteh Zeit.
Drunt'n vor der Haustür steht a
B'soffener
Und i hör, wie der „Heil Hitler" schreit.

(Wiederholungsteil 1)
Aufsteh, anziagn, owegehn, in
d'Goschn haun,
des is alles was i machen möchte.
A wann des nix ändert, mir hilfts
wenigstens,
weu mir is vor Wut im Bauch ganz
schlecht.

(Wiederholungsteil 2)
Und es gibt no immer so vü Wesselys,
und ihr Mief verstinkt die ganze Wöd.
Und die blad'n Wirtinen sterbn a net
aus.
„Gratuliere, gratuliere, Herr Wessely,
kana hat die Jugend so versaut wie
Sie!"

Georg Danzer zu **Der oide Wessely**:

„Dieses Lied entstand 1979 in Wien, nachdem bei einer Landtagswahl 140.000 Österreicher eine rechtsradikale Partei gewählt hatten.
Ich hätte mir nicht in meinen schlimmsten Träumen erwartet, daß dieses Lied später einmal noch mehr Aktualität erlangen würde."

Weiße Pferde

Text und Musik: Georg Danzer

summen ...

Am

Ich träum-te von wei - ßen Pfer - den,
Al - go se muer in el al - ma
träum-te von wei - ßen Pfer - den,

G

wil - den wei-ßen Pfer-den   an   ei - nem Strand.   Ich lag
cuan-do un a-migo se   va   no me
wil - den wei-ßen Pfer-den   an   ei - nem Strand.   Ich lag

F

mit - ten zwi - schen den Ster - nen
de-chas aqui, mi a - mor
mit - ten zwi - schen den Ster - nen

Am   **G**

und   sah das Ge - sicht   ei - ner   Wahrsa-ger - in.
no me de chas so - lo
und   sah das Ge - sicht   ei - ner   Wahrsa-ger - in.

Am

Ich glau - be an die Kar-ten- spie - le
Ich träum-te von wei - ßen Pfer - den,
summen ...

summen ...

summen ...

und an mei - nen Vor - stadt - kin - der - in - stinkt
wilden weißen Pferden an ei - nem Strand.

summen ...

mehr als an die Re - den der Vor - sit - zen - den.
Mein Leh - rer war ein Vo - gel,

summen ...

Nach - sit - zen - der, der ich in der Schu - le war. A - ber
brach - te mir das Flie - gen bei.

sag' mir, woran, wo - ran, meine Lie - be, glauben wir noch?

Wo - ran, mei - ne Lie - be, glau - ben wir noch,

wo - ran, mei - ne Lie - be,

|1. |2. D.S. al 𝄋

glau - ben wir noch? Ich

summen ...

*"**Weiße Pferde** entstand 1984 nach einer Reise durch Andalusien. Ich verbrachte einige Zeit bei den Gitanos in Granada und lernte dort auch die Tänzerin kennen, die
später in dem Video mitwirkte.
Lange bevor Gipsy King mit ihrem Flamenco-Rock weltweit Aufsehen erregten, kam
mir die Idee, Popmusik mit Flamencoelementen zu fusionieren."*

Der Himmel über Amsterdam

Text und Musik: Georg Danzer

instr. Einleitung

Der Himmel ü - ber Amster - dam is
is noch gar ned so lang her, da

blaß-blau und ver - wa-schen wia a Ta-schentuch, sie
hat's mit an-dern Kin-dern noch Ver - stek-ken g'spielt. Doch

hört die Tau-ben un-term Dach; sie denkt nach, und sie schreibt dann in ihr
jetzt ist das Ver-stek-k'n bitt - 'rer Ernst g'word'n, weil's das rei - ne Ü-ber-

Ta - ge - buach. Nie-mand waß, nie-mand waß,
le - ben gilt.

1. 2.

wo sie is.

Es

Was da drau-ßen vor sich geht, sie weiß es nicht, doch sie ver - steht: A
tau-send Joa san so-fü Zeit, für so a Kind a E - wig - keit, a

Krankheit hat das Land be - falln, sie hört Marschier'n und Panzer rolln. Und
E - wig-keit aus Angst und Not, a hun-dert-tau-send-fa-cher Tod. Sie

ist zum Fort-geh'n viel zu jung und lebt in der Er - in - ne - rung. Und sie

kann nur mehr das Ei - ne fühl'n, sie will nicht mehr Ver-stek-ken spiel'n, sie

will nicht mehr Ver - stek-ken spiel'n.

38

instr. Zwischenspiel

Der Himmel ü - ber Amster - dam ist

fin - ster und er - tränkt sie in ein'm Meer von Blut.

Durch die Lu - ke un - term Dach hört's

Men - schen schrein und woas, sie brin - gen

grad wem fuat. Nie-mand was, nie-mand was

wo sie ist.

Georg Danzer über *Der Himmel über Amsterdam*:

„Dieses Lied entstand 1992. Ich hatte mit meiner Tochter über das ‚Tagebuch der Anne Frank' gesprochen, welches man damals gerade in ihrer Klasse im Deutschunterricht durchnahm, und wir sangen das Lied dann gemeinsam."

Große Dinge

Text und Musik: Georg Danzer
Bearbeitung: Azi Finder

Instr. Vorspiel (Piano)

Und i

1. kann mich noch er - in - ern es war zeit - lich in da fruah
leise durch die Tür g'schlupft, i woa no a klana bua
2. weg auf ana Lich - tung hob i mir a Hütt'n 'baut
g'fühlt als In - di - a - ner und hab durch die Äste g'schaut

wia da Mond no blaß am Himmel g'standen is. I bin
gro - ße Din - ge wollt i tuan, des war ma
aus'n Rei - sig, des dort g'le - gen is am Grund. Hab mi

g'wiß. I bin um - me ü - ber d'Wie - sen hun - dert
Mund. I woa frei und un - ge - bun - den, ka - na

Me - ter bis zum Wald, mit'n Pfeil und Bo - gen in da kla - nan Haund.
hat zu mir was g'sagt, nua a Kuck - uck von da weit'n woa zum Hör'n.

Und im dün - nen Mor - g'n - ne - bel war die Sun' schon un - ter - wegs
Und so is da Tag ver - gan - gen bis zur A - benddämm'rung hin.

und hat spinnen - we - ben - fei - ne Fä - den g'spannt ü - ber's
i hab g'spürt, die ganze Gegend hab i gern bis zu

Instr. Zwischenspiel (Piano)

Land.
d'Stern.

1.
2.

Net weit Gro - ße Din - ge zu voll - brin -

40

gen, woa mein al - ler - größ - ter Wunsch. Gro - ße Din - ge, an die

kla - ne Bu - am glaub'n: Bö - se Dra-chen zu be - zwin - gen, a Prin-

zes - sin zu befrei'n und dem Bu - am vom Nachbarn a - ne o - we - haun.

Instr. Zwischenspiel (Piano)

Der tät' schaun.

Gro - ße Din - ge zu voll - bring - gen woa mei

al - ler-größ-ter Wunsch. Gro-ße Din - ge, an die kla - ne Bua-ma glaub'n.

Blö - de Leh - rer nie - der - sin - gen und mei Frein-din zu be - frei'n

und dem Buam vom Nachbarn a-ne o - we - haun. Der tät'

Instr. Zwischenspiel (Piano)

schaun.

Und i kann mi no er - in - nern, wia's dann
'kep - pelt: "Bis du dre - ckig, wia du

A - bend wor-d'n is, bin i ham, da hat die o - ma-ma scho g'woat.
ausschaust meiner söh"; a - ber dann hat's mi - t'n Kai-serschmarr'n ned g'spart.

41

Die hat Gro - ße Din - ge zu voll - brin - gen woa mei

al - ler-größ-ter Wunsch, gro-ße Din-ge, an die kla - ne Bu - a - ma glaub'n.

Mit-tler - weun hod si des al - les so - zu - sog'n re - la - ti - viert;

nur den Kai-serschmarr'n, den tät' i gern no haum. Der woa a

Instr. Ausklang (Piano)

Traum.

Georg Danzer über *Große Dinge*:

„Dieses Lied entstand 1994. Es beschreibt die magische Zeit meiner Sommerferien, die ich als Kind stets mit meinen Großeltern auf dem Land verbrachte.

Kein Erwachsener kann jemals eine so wundervolle Welt erleben, wenn er sich nicht im Herzen ein wenig von seinem Kindsein bewahrt hat."

Georg Danzer
(Teil 2)

1993 Für sein Gesamtschaffen wird er mit dem „Goldenen Ohr" in Deutschland ausgezeichnet.

1994 erhält Georg Danzer dir dritte Auszeichnung. Die Silberne „Ehrenantenne" des Belgischen Rundfunks im Rahmen der „Liedernacht", einer der bedeutendsten Veranstaltungen für Liedermacher überhaupt.

Außerdem startet Danzer im September sein Projekt „Georg Danzer & Band" (mit Ulli Bäer, Gary Lux, Thomas Mora und Peter Barborik).

Und...er zieht zurück nach Wien, nachdem er zehn Jahre in Deutschland gewohnt hat.

Auf die Frage, wo Georg Danzer gern leben möchte, antwortete er: „Vor mir das Meer, hinter mir die schneebedeckten Berge. Ein Haus in einem Garten voller Blüten und ihren Düften, umgeben von freundlichen Menschen, die einen trotzdem in Ruhe lassen, schon mit Jahreszeiten aber abgemildert. Im Sommer nicht brüllheiß, im Winter nicht saukalt, in der Nähe einer großen kulturellen Metropole wie New York ... Ich weiß, das gibt's nicht, aber möchten wird' ich ja dürfen."

1995 Das Album „Große Dinge" entsteht.

1996 Seit zwei Jahren produziert Franz Christian Schwarz die Doppel-CD „Danke Danzer", auf dem sich 38 österreichische Künstler finden, die Georg Danzers Lieder interpretieren und die zu dessen 50. Geburtstag veröffentlicht wird.

1997 im Sommer entsteht die technisch wie inhaltlich überraschende CD(-extra) „$EX IM INTERNET".

„Diese Sammlung von Liedern, ..., ist meine 30ste CD und ich bin 50. Ursprünglich hatte sie den Arbeitstitel "Talkshow", später dann "Mosaik". Im Herbst 1995 begann ich daran zu arbeiten und mein Ziel war es, völlig frei und ohne Plan ins Blaue hinein, einfach alles festzuhalten, was mir durch den Kopf ging."

„'Zerschlagt die Computer', so hieß einst ein Lied von mir ... Lang ist's her. ... Ich singe dieses Lied heute noch ab und zu, aber nur zu Hause und ganz leise zwischen wutbebenden Lippen und knirschenden Zähnen, wenn mein Computer wieder einmal nicht so will, wie ich es will, oder wenn er abstürzt und ein fast fertiger Song ungesichert ins elektronische Nirwana hinübergegangen ist. So ändern sich die Zeiten. Mit dem Internet tut sich nun eine neue Freiheit auf. Eine Art von Anarchie auf einer echt demokratischen Ebene, von der wir damals nicht einmal zu träumen gewagt hätten. – Winston Churchill hat einmal gesagt: ‚Ich ändere Meine Meinung, na und?!' Dem füge ich nur hinzu: Vielleicht muß man sich ab und zu ändern, um sich selbst treu zu bleiben."

Georg Danzer lebt heute mit seiner Familie in der Nähe von Wien.

Seine Pläne für die Zukunft?
„Ich möchte im Kopf stets 25 bleiben, mit allen Torheiten und all den Leichtigkeiten, die das Leben so zukunfts-trächtig scheinen lassen. Ich werde immer weiterar-beiten, bis ich sterbe oder gänzlich verblöde. Mal sehen, was dabei noch herausspringt."

Sein Lebensmotto?
„'Bis hierher ging's gut!' sagen, wie der Mann, der im hundert-sten Stock eines Hochhauses aus dem Fenster fällt und bei jedem Stockwerk, an dem er vorbeikommt, diesen Satz sagt."

Talkshow

Instr. Einleitung (Piano)

Text und Musik: Georg Danzer

Ich möcht le - ben in ei - ner Talk - show

weil da lebt es sich so leicht.

Man er - reicht so vie - le Men - schen

und bleibt sel - ber un - er - reicht.

Man kann ü - ber al - les plau - dern, was ei - nen sel - ber nicht be - trifft;

ma kann sehr be - trof - fen sein und auch sehr sehr of - fen sein

man kann tal - ken ü - ber al - les, was ei - nen ei - gent - lich nix an -

geht; es wär im - mer spät am A - bend.

gesprochen

talk talk talk, blah blah blah

Ich möcht' le - b'n in ei - ner Talk-show;

i wär um - ge - b'n von net - te Leut,

und ein net - ter Mo - de - ra - tor

tät mich sehr per - sön - lich frag'n;

zum Bei - spiel nach mei-ner Mut - ter und ob ich mich beim Pin - klen hin-

setz; man fragt nicht nach dem wa - rum, son-dern nur noch nach dem wie

z. B. wie bringt ma sich um; und nicht, wa-

rum will man nicht le - b'n in der kal - ten Welt da drau - ßen.

gesprochen

talk talk talk, blah blah blah

Ich möcht le - b'n in ei - ner Talk-show;

in ei - ner Talk - show is es im - mer warm,

weu des Stu - di - o be - heizt is,

da - mit die Talk - gä - ste nicht frier'n.

Wenn sie tal - ken ü - ber Dro - gen o - der ü - ber Sex mit Tier'n

o - der ü - ber Koch - re - zep - te o - der ü - ber Krieg und To-

te, al - les für die Ein - schalt - quo - te und da - zwi schen kommt die Wer-

bung die ist noch bes - ser als die Talk-show.

gesprochen

talk talk talk, blah blah blah

Ich möcht' le - ben in der Wer - bung,

denn die Wer - bung ist viel ech - ter,

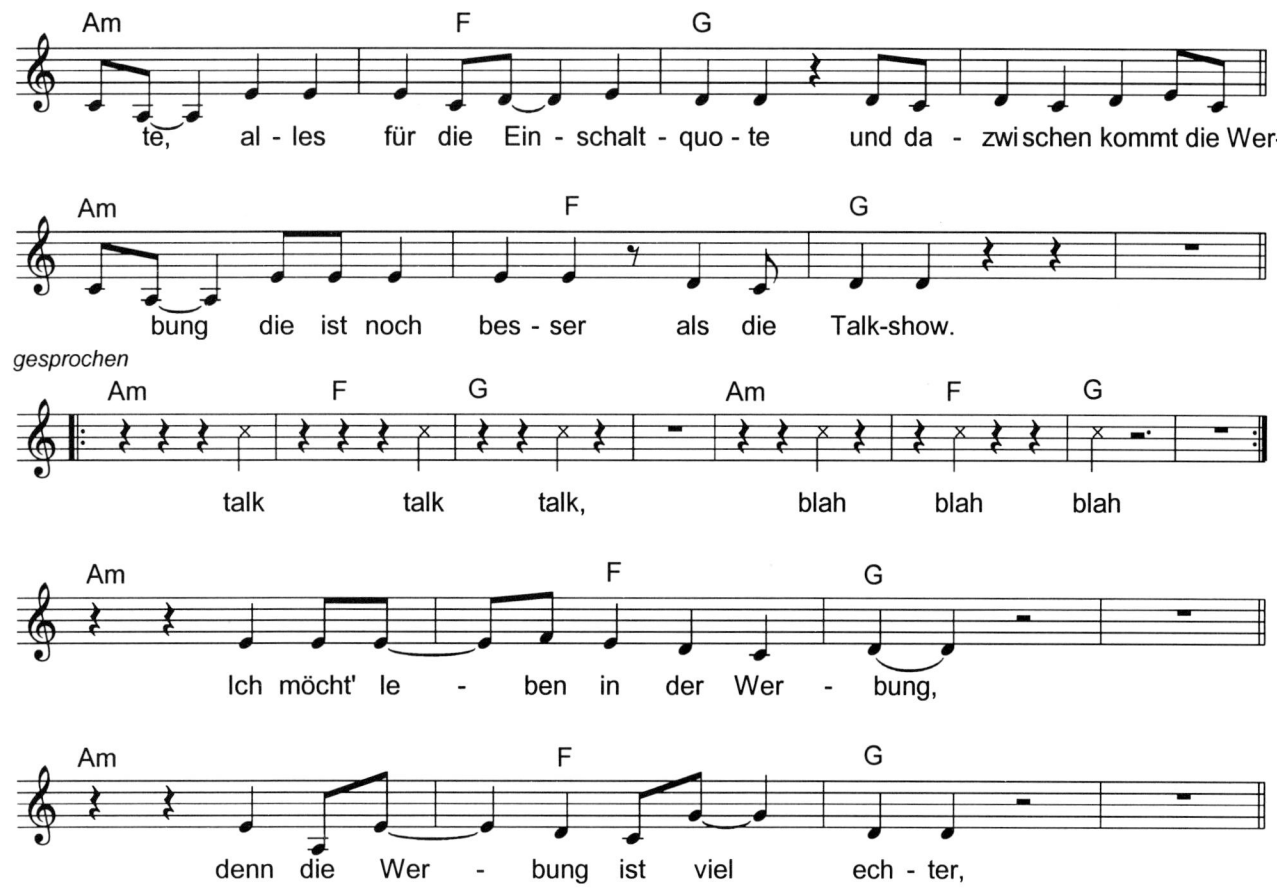

te, al - les für die Ein - schalt - quo - te und da - zwi schen kommt die Wer-

bung die ist noch bes - ser als die Talk-show.

gesprochen

talk talk talk, blah blah blah

Ich möcht' le - ben in der Wer - bung,

denn die Wer - bung ist viel ech - ter,

Georg Danzer über *Talkshow*:

„Der Song entstand 1997. Ich hatte endgültig die Nase voll von all dem Betroffen-
heitsgetue in den Medien, dem vielen belanglosen Gerede, dem Pseudoengagement
diverser Talkmaster(innen) und ihrer Gäste. Es ist noch schlimmer geworden und ein
Ende ist nicht abzusehen. Wir quatschen uns tot."

Reinhard Mey

Niemals ausgebüchst, aber auch kein „Mustermensch" - niemals gemein, aber dennoch ehrlich – Emotionen zwischen Realität und Phantasie.

Er schwebt zwischen seinen inneren Polen, realisiert in seinen Liedern Dinge zwischen Wahrheit und Traum, zwischen Witz und Ironie, zwischen Brisanz und Offenheit.

Vielleicht haben ihn deshalb seine Kritiker in einer Zeit der radikalen gesellschaftlichen Umwälzungen der 60er angefeindet und seine Musik als „unverbindlich", „niedlich" oder „harmlos" abgetan. Möglicherweise haben sie ihn einfach nicht richtig verstanden... Er ließ sich nicht verunsichern und machte weiter, verfolgte seinen ureigenen Stil. Wie könnte man Reinhard Mey besser beschreiben, als mit seinen eigenen Worten, seinen Liedern ...

1942 wird Reinhard Mey in Berlin geboren. Zu „seiner" Stadt hatte und hat er ein ganz besonderes Verhältnis. 1985 äußerte er in seinem Lied „Berlin tut weh": „Fast alle meine Freunde sind gegangen. Gewiß, manchmal verstehe ich sie gut, ich habe nur zu sehr an dir gehangen, mit meiner Trauer und mit meiner Wut. Wie oft verlasse ich dich in Gedanken und komm' kleinlaut zurück, bevor ich geh'! So stiehlt man sich nicht vom Bett eines Kranken. – Du tust mir weh."

Nach dem Mauerfall vier Jahre später sang er dann über seine Stadt: „... Freiheit, endlich Freiheit über meiner Stadt! Das ist mein Berlin! Gibt's ein schön'res Wort für Hoffnung, aufrecht gehen, nie mehr knien!? Das ist mein Berlin."

1954 erhält der Sohn einer Lehrerin und eines Juristen Klavierunterricht.

1955 bringt er sich selbst das Trompetenspiel bei.

1956 bekommt er seine erste Gitarre.

1957 wird er Mitglied (später Leader) der „Rotten Radish Skiffle Guys".

1961 entsteht das Trio „Les Trois Affamés" mit Schobert Schulz und einem häufig wechselnden dritten Mann.

1962 Vertont Reinhard Mey Balladen von Francoise Villon und Gedichten von Georg von der Vring.

1963 macht er sein Abitur und beginnt eine Lehre als Industriekaufmann bei der Schering AG in Berlin.

1964 wird ein entscheidendes Jahr für Reinhard Meys musikalische Laufbahn. Er nimmt am Festival „Chanson Folklore International", dem ersten legendären Treffen auf Burg Waldeck teil - und er hat Erfolg.

Er schließt seine Lehre ab, schreibt sich noch an der Uni für das Fach Betriebswirtschaft ein, schlägt aber nach den beiden Eps (extended plays) „Die drei Musketiere" und „Fred Kasulzke" endgültig die musikalische Laufbahn ein.

Zu dieser Entscheidung sagt er: „Ich konnte mir als Sproß einer Familie, die vorwiegend aus Lehrern und Beamten bestand, die alle leidenschaftlich gern Musik machten, darin aber keine Lebensperspektive sahen, kaum vorstellen, einmal einen so unseriösen Beruf zu ergreifen. Als es dann soweit war, war es sehr überraschend, nicht nur für mich, sondern auch für meine Eltern." Im „Presto"-Tempo veröffentlichte er bis

1967 drei LPs mit größtenteils eigenen Liedern und heiratet die Französin Christine.

1968 bringt er als Frédérik seine erste französische Platte heraus: „Frédérik Mey, Volume 1". Sie wird mit dem „Prix International" der „Académie de la Chanson Francaise" augezeichnet. Bereits drei Jahre später ist er, gerade mal 25 Jahre alt, mit seinen Texten in den französischen Schulbüchern vertreten.

In französischer und deutscher Sprache entsteht sein Lied „Kaspar" (Gaspard). Diffizil und hochsensibel beschreibt er die Situation des Kaspar Hauser, der von der Gesellschaft und deren eingetretenen Spuren ermordet wird. Er war eben weder einzuordnen noch erklärbar...

1969 Seit diesem Jahr erscheint fast jedes Jahr eine neue Platte, begleitet von zahlreichen Konzerten und Tourneen durch Deutschland, Österreich, die Schweiz, Holland, Frankreich und Belgien. Die erste Goldene Schallplatte bekommt er

1971 für die drei LPs „Ankomme, Freitag den 13.", „Aus meinem Tagebuch" und „Ich bin aus jenem Holze". Weitere sollten folgen...

1973 macht Reinhard Mey seine Privatpilotenlizenz. Der Traum vom Fliegen wird wahr und begleitet ihn sein ganzes Leben und viele seiner Lieder.

Wie stark sein persönliches Empfinden und Erleben für seine Lieder wichtig sind, beschreibt er folgendermaßen: „Ich glaube, daß 80 Prozent meiner Lieder auf persönliche Beobachtungen oder auf Begebenheiten in meiner Umgebung zurückzuführen sind."

Sein Lied „Über den Wolken" machte in puncto Fliegerei 1974 den Anfang und endet (vorläufig) 1996 in „Lilienthals Traum", einem Lied zum Andenken an Otto Lilienthal und seinen 100sten Todestag.

1976 Nach einer 40-Städte-Tournee durch Frankreich, Belgien und Holland bekommt er zum ersten mal eine Platin LP für „Als de dag van toen". Sogar eine Chrysanthemenzüchtung wird nach ihm benannt.

Privat gibt es einige wichtige Veränderungen: Scheidung von Christine und die Geburt seines ersten Sohnes Frederik mit seiner (damaligen) Freundin Hella. Drei Jahre später singt er „Was habe ich in all den Jahren ohne dich eigentlich gemacht. Als Tage noch tagelang waren, wie hab' ich sie nur 'rumgebracht? Ohne Spielzeug zu reparieren, ohne den Schreck, der Nerven zehrt, ohne mit dir auf allen Vieren, durchs Haus zu traben als dein Pferd?" (Keine ruhige Minute)

1977 heiraten Reinhard Mey und Hella Bormann. Neue Platten und zahlreiche Tourneen folgen in den kommenden Jahren – kontinuierlich, aufmerksam und ruhig...

1982 erscheint seine Doppel-LP „Starportrait 2" mit „Welch ein Geschenk ist ein Lied" und „Frédérik Mey," (mittlerweile) „Volume 6".

Um die Balance des Lebens nicht zu stören, beginnt Reinhard Mey eine Ausbildung zum Privathubschrauberführer und erlebt die Geburt seines Sohnes Maximilian.

Weiter geht's auf Seite 60

Kaspar

Text und Musik: Reinhard Mey

Sie sag-ten, er kä-me von Nürn-berg her, und er sprä-che kein Wort.
Auf dem Markt-platz stan-den sie um ihn her und be-
gaff-ten ihn dort. Die ei-nen raun-ten: Er ist
ein Tier!", die an-dern frag-ten: "Was will der hier?"
und daß er sich doch zum Teu-fel scher', "So jagt ihn do fort,
so jagt ihn doch fort!"

2.

Sein Haar in Stähnen und wirre, sein Gang war gebeugt.

„Seht, dieser arme Irre ward vom Teufel gezeugt."

Der Pfarrer reichte ihm einen Krug voll Milch, er sog in einem Zug.

„Der trinkt nicht vom Geschirre, den hat die Wölfin gesäugt, den hat die Wölfin

gesäugt!"

3.

Mein Vater, der in uns'rem Orte Schulmeister war,

trat zu ihm hin, trotz böser Worte rings aus der Schar.

Er sprach zu ihm ganz ruhig, und der Stumme öffnete den Mund

Und stammelte die Worte: „Heiße Kaspar, heiße Kaspar".

4.

Mein Vater brachte ihn mit nach Haus: „Heiße Kaspar".
Meine Mutter wusch seine Kleider aus und schnitt ihm das Haar.
Sprechen lehrte mein Vater ihn, lesen und schreiben, und es schien,
was man ihn lehrte, so er in sich auf – wie gierig er war, wie gierig er war!

5.

Zur Schule gehörte derzeit noch das Üttinger Feld,
Kaspar und ich, wir pflügten zu zweit, bald war alles bestellt;
wir hegten und pflegten jeden Keim, brachten ihm Herbst die Ernte ein,
von den Leuten, vermaledeit, von ihren Hunden verbellt, von ihren Hunden verbellt.

6.

Ein Wintertag, der Schnee lag frisch, es war Januar.
Meine Mutter rief uns: „Kommt zu Tisch, das Essen ist gar!"
Mein Vater sagte: „... Appetit", ich wartete auf Kaspars Schritt.
Mein Vater fragte mürrisch. „Wo bleibt Kaspar, wo bleibt Kaspar?"

7.

Wir suchten, wir fanden ihn auf dem Pfad bei dem Feld.
Der Neuschnee wehte über ihn, sein Gesicht war entstellt,
die Augen angstvoll aufgerissen, sein Hemd war blutig und zerschlissen.
Erstochen hatten sie ihn, dort am Üttinger Feld, dort am Üttinger Feld!

8.

Der Polizeirat aus der Stadt füllte ein Formular.
„Gott nehm' ihn hin in seiner Gnad", sagte der Herr Vikar.
Das Üttinger Feld liegt lang schon brach, nur manchmal bell'n mir noch die Hunde
nach,
dann streu' ich ein paar Blumen auf den Pfad für Kaspar, für Kaspar.

Über den Wolken

Text und Musik: Reinhard Mey

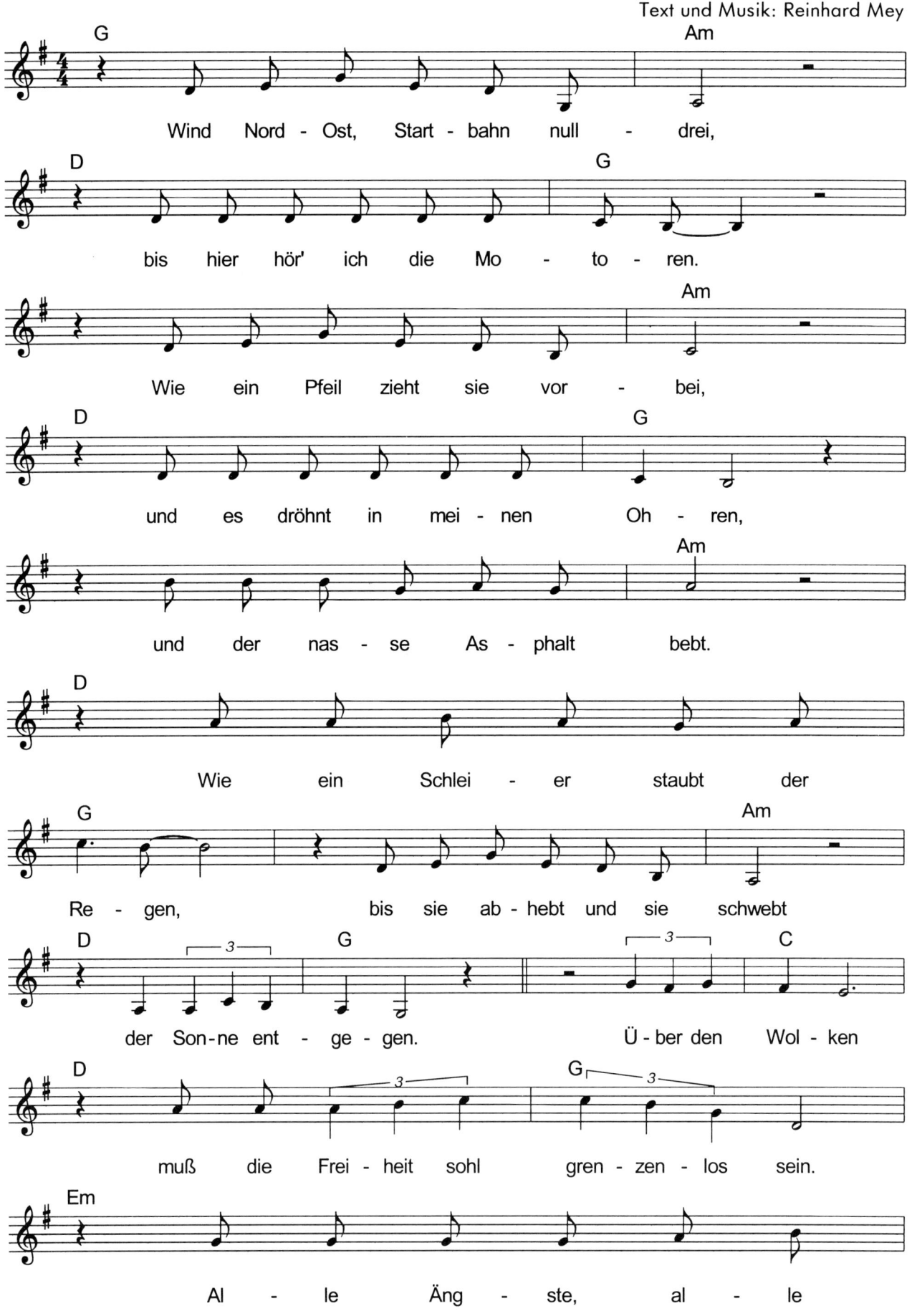

Wind Nord - Ost, Start - bahn null - drei,

bis hier hör' ich die Mo - to - ren.

Wie ein Pfeil zieht sie vor - bei,

und es dröhnt in mei - nen Oh - ren,

und der nas - se As - phalt bebt.

Wie ein Schlei - er staubt der

Re - gen, bis sie ab - hebt und sie schwebt

der Son - ne ent - ge - gen. Ü - ber den Wol - ken

muß die Frei - heit sohl gren - zen - los sein.

Al - le Äng - ste, al - le

Sor - gen, sagt man, blei - ben da - run - ter ver

bor - gen und dann, wür - de, was hier groß und

wich - tig er - scheint, plötz - lich nich - tig und klein.

2.

Ich seh' ihr noch lange nach,
seh' sie die Wolken erklimmen,
bis die Lichter nach und nach ganz im Regengrau verschwimmen.
Meine Augen haben schon jenen winz'gen Punkt verloren.
Nur von fern klingt monoton das Summen der Motoren.

Refrain

3.

Dann ist alles still, ich geh', Regen durchdringt meine Jacke,
irgend jemand kocht Kaffee in der Luftaufsichtsbaracke.
In den Pfützen schwimmt Benzin, schillernd wie ein Regenbogen.
Wolken spiegeln sich darin. Ich wär' gern mitgeflogen.

Refrain

Nein, meine Söhne geb' ich nicht!

Text und Musik: Reinhard Mey

Ich denk, ich schreib' euch bes - ser schon bei - zei - ten und sag' euch heu - te schon end - gül - tig ab. Ich braucht nicht lan - ge Li - sten aus - zu - brei - ten, um zu se-hen, daß ich auch zwei Söhne hab'. Ich lieb' die bei-den, das will ich euch sa - gen, mehr als mein Le-ben, als mein Au-gen - licht, und

die, die wer-den kei-ne Waf-fen tra - gen: nein, mei-ne Söhnne geb' ich nicht.

6 x rit.

Nein, meine Söhne geb' ich nicht, nicht.

2.

Ich habe sie die Achtung vor dem Leben,
vor jeder Kreatur als höchsten Wert.
Ich habe sie Erbarmen und Vergeben
und wo immer es ging, lieben gelehrt.
Nun werdet ihr sie nicht mit Haß verderben.
Keine Ziele und keine Ehre, keine Pflicht
sind's wert, dafür zu töten und zu sterben.
Nein, meine Söhne geb' ich nicht!

3.

Ganz sicher nicht für euch hat ihre Mutter
sie unter Schmerzen auf die Welt gebracht.
Nicht für euch und nicht als Kanonenfutter.
Nicht für euch hab' ich manche Fiebernacht
verzweifelt an dem kleinen Bett gestanden,
und kühlt' ein kleines glühendes Gesicht,
bis wir in der Erschöpfung Ruhe fanden.
Nein, meine Söhne geb' ich nicht!

4.

Sie werden nicht in Reih' und Glied
marschieren,
nicht durchhalten, nicht kämpfen bis zuletzt,
auf einem gottverlass'nen Feld erfrieren,
während ihr euch in weiche Kissen setzt.
Die Kinder schützen vor allen Gefahren
ist doch meine verdammte Vaterpflicht,

und das heißt auch, sie vor euch zu
bewahren!
Nein, meine Söhne geb' ich nicht!

5.

Ich werde sie den Ungehorsam lehren,
den Widerstand und die Unbeugsamkeit,
gegen jeden Befehl aufzubegehren
und nicht buckeln vor der Obrigkeit.
Ich wird' sie lehr'n, den eig'nen Weg zu
gehen,
vor keinem Popanz, keinem Weltgericht,
vor keinem als sich selber g'radzustehen.
Nein, meine Söhne geb' ich nicht!

6.

Und eher werde ich mit ihnen fliehen,
als daß ihr sie zu euren Knechten macht.
Eher mit ihnen in die Fremde ziehen,
in Armut und wie Diebe in der Nacht.
Wir haben nur dies eine kurze Leben,
ich schwör's und sag's euch g'rade ins
Gesicht:
Sie werden es für euren Wahn nicht geben.
Nein, meine Söhne geb' ich nicht!

Ich liebe dich

Text und Musik: Reinhard Mey

Ich hab' un - zähl' - ge Sei - ten voll - ge - schrie - ben,

ich ha - be mir Ge - schich - ten aus - ge - dacht.

Bin kei - ne Ant - wort schul - dig ge - blie - ben,

ich hab' den Den - ker und den Clown ge - macht.

Ich ha - be Weis - hei - ten von mir ge - ge - ben

und da - bei man - che Tor - heit, wie's mir scheint!

Ich hab' ge - re - det, als ging's um mein Le - ben

und doch nur im - mer eins ge - meint:

Ich lie - be dich, ich brau - che dich,

ver - trau' auf dich,   ich   bau' auf dich,   woll-te nicht le - ben

oh - ne dich,   ich lie - be dich.

2.

Ich hab' versucht, in immer neuen Bildern
zu sprechen, doch jetzt geht die Zeit mir aus,
ich kann nicht mehr um sieben Ecken schildern,
ich sag' es einfach und grade heraus.
Ich sag' es einfach, und ich schreibe
auf deinen Spiegel, auf die Wand,
auf die beschlagene Fensterscheibe,
wofür ich soviel Umwege erfand:

Refrain:

Ich liebe dich, ich brauche dich,
vertrau' auf dich, ich bau' auf dich,
wollte nicht leben ohne dich,
ich liebe dich.

3.

Manchmal seh' ich uns beide in Gedanken
auf einem menschenleeren Bahnsteig stehn,
zwischen uns unsichtbare Schranken,
und einer bleibt, einer muß gehen.
Lautsprecherstimmen und Türenschlagen
und Winken aus den anfahrenden Zug.
Ich will's immer und immer wieder sagen,
und sag' es dir doch nie genug:

Refrain:

Ich liebe dich, ich brauche dich,
vertrau' auf dich, ich bau' auf dich,
wollte nicht leben ohne dich,
ich liebe dich.

Sei wachsam

Text und Musik: Reinhard Mey

Einleitung A4   Am   A4   Am

Ein

Am

Wahl - pla - kat zer - ris - sen auf dem nas - sen Ra - sen, sie

E

grin - sen mich an, die al - ten auf - ge - weich - ten Phra - sen, die Ge-

Dm

sich - ter von auf ju - gend - lich - ge - mach - ten Grei - sen, die dir das

E

Mit - tel - al - ter als den Fort - schritt an - prei - sen. Und ich

Am

denk' mir, je - der Schritt zu dem ver - heiß' - nen Glück ist ein

F

Schritt nach e - wig ge - stern, ein Schritt zu - rück. Wie sie das

B7

Volk zu Be - son - nen - heit und Op - fern er - mah - nen, sie

E

nen - nen es das Volk, a - ber sie mei - nen: Un - ter - ta - nen. All das

Am

Lei - men, das Schlei - men ist nicht län - ger zu er - tra - gen, wenn du

lernst zu ü-ber-set-zen, was sie wirk-lich sa-gen! Der Mi-

ni-ster nimmt flü-sternd den Bi-schof beim Arm: "Halt'

du sie dumm, ich halt' sie arm!"

Refrain

Sei wach-sam, präg' dir die Wor-te ein! Sei

wach-sam, (und) fall' nicht auf sie rein! Paß

auf, daß du dei-ne Frei-heit nutzt, die

Frei-heit nutzt sich ab, wenn du sie nicht nutzt! Sei

wach-sam, merk' dir die Ge-sich-ter gut! Sei

wach-sam, be-wahr dir dei-nen Mut! Sei

wach-sam und sei auf der Hut! Du machst das

2.

Du machst das Fernseh'n an, sie jammern nach guten, alten Werten.
Ihre guten, alten Werte sind fast immer die verkehrten.
Und die, die da so vorlaut in der Talk-Runde strampeln,
sind es, die auf allen Werten mit Füßen rumtrampeln:

Der Medienmogul und der Zeitungszar,
die schlimmsten Böcke als Gärtner, na wunderbar!
Sie rufen nach dem Kruzifix, nach Brauchtum und nach guten Sitten,
doch ihre Botschaft ist nichts als Arsch und Titten.
Verrohung, Verdummung, Gewalt sind die Gebote,
ihre Götter sind Auflage und Einschaltquote.
Sie biegen die Wahrheit und verdrehen das Recht:
So viele gute, alte Werte, echt, da wird mir echt schlecht!

Refrain:
Sei wachsam, präg' dir die Worte ein!
Sei wachsam, und fall' nicht auf sie rein!
Paß auf, daß du deine Freiheit nutzt,
die Freiheit nutzt sich ab, wenn du sie nicht nutzt!
Sei wachsam, merk' dir die Gesichter gut!
Sei wachsam, bewahr dir deinen Mut!
Sei wachsam und sei auf der Hut!

Reinhard Mey
(Teil 2)

1986 ein Jahr nach der Geburt seiner Tochter Victoria-Luise erscheint sein Lied „Nein, meine Söhne geb' ich nicht". Wie vielen Menschen stellen sich auch Reinhard Meys Nackenhaar hoch, wenn es um „Krieg" in jeder Form geht. Und so beugt er in seinem Lied vor: „Ich denk', ich schreib' euch besser schon beizeiten, und sag' euch heute schon endgültig ab. Ihr braucht nicht lange Listen auszubreiten, um zu sehen, daß ich auch zwei Söhne hab'. Ich lieb' die beiden, das will ich euch sagen, mehr als mein Leben, als mein Augenlicht, und die, die werden keine Waffen tragen: Nein, meine Söhne geb' ich nicht!"

1989 veröffentlicht er seine LP „Mein Apfelbäumchen" mit allen Liedern zum Thema Kinder (auch: Nein, meine Söhne geb' ich nicht). Der Erlös geht an die Stern-Aktion „Deutsche Kinderkrebshilfe".

Außerdem: Die Mauer fällt, und Reinhard Mey ist dabei, unter anderem am 9., 10. und 11. November im DDR-Fernsehen.

1990 Neben der Produktion und Veröffentlichung der 16. Studio-LP „Farben" und einer Deutschland-Tournee mit 55 Stationen unternimmt Reinhard Mey im Alleingang einen Hilfsgütertransport in das Waisenhaus Gherla in Rumänien. Der Fahrer ist sein Freund und langjähriger Tourneepartner Peter Graumann.

1991 bekommt er die Goldene Schallplatte für „Mein Apfelbäumchen", das zur größten Einzelspende der Kinderkrebshilfe geworden ist. Ihm wird daraufhin die Mildred-Scheel-Medaille verliehen.

Worte wie die folgenden lassen Menschen unwillkürlich über „Wichtig" oder „Unwichtig" nachdenken: „Abends an deinem Bett zerrinnt das Wichtige zur Nichtigkeit, ratlos und voller Dankbarkeit steh' ich vor dir, und ich empfind' so etwas wie Demut, mein Kind." (aus: „Abends an deinem Bett")

Immer wichtiger wird Reinhard Mey die Zukunft in der Verkörperung von Kindern.

1993 singt er im Mainzer „unterhaus" für „Human Help Network", das sich für Straßenkinder in aller Welt einsetzt.

Nach einer Tournee durch Österreich und die Schweiz erhält er den Deutschen Schallplattenpreis „Echo" für sein Lebenswerk... und veröffentlicht seine CD „Ich liebe dich" als Benefizalbum für die Deutsche-Kinder-Aids-Hilfe.

1994 veröffentlicht er sein 17. Studioalbum „immer weiter" und tourt 60 Tage durch Deutschland. Ein Jahr später erhält er im Mainzer „unterhaus" den Deutschen Kleinkunstpreis.

1996 Reinhard Mey veröffentlicht sein Album „Leuchtfeuer" und nimmt sein neues Lied „Lilienthals Traum" mit den Berliner Philharmonikern unter der Leitung von Manni Leuchtner auf.

1997 Veröffentlichung des Live-Doppelalbums „Lebenszeichen" und des Benefizalbums „Du bist ein Riese...", einer Sammlung seiner Lieder über und für Kinder, zu Gunsten von DUNKELZIFFER e.V., Hilfe sexuell mißbrauchter Kinder.

1998 Im Mai: Studioalbum Nr. 20 „Flaschenpost".

Im Herbst findet eine 60-Städte-Deutschlandtournee statt.

„Was ich noch zu sagen hätte..."

„Bin immer noch der, der ich war, Erwachsener werd' ich wohl nicht. Ich hab' einen Jahresring mehr wie die Bäume, eine dickere Rinde, ein paar neue Träume und Lachfalten mehr im Gesicht. ..."

Eines ist ihm immer wichtig gewesen - heute und damals -, eine Weisheit von Erich Kästner:

„Es gibt nichts Gutes,
 außer, man tut es."

Hannes Wader

Hannes Wader zeigt in seiner eigens verfassten Biographie seinen ganz persönlichen Weg vom engagierten, Lieder singenden Beobachter und Streiter der 60er bis hin zum gereiften, musikalischen Charakterdarsteller mit Lebenserfahrung auf seinen Notenblättern... - Zweifellos ein spannender „Bericht" eines Lebens- und Zeitabschnitts unseres Jahrhunderts.

1942 geboren in Bethel bei Bielefeld, Sozialstatus der Eltern: arm, aber verhältnismäßig sauber. - In der Vergangenheit sah ich mich gelegentlich dem Vorwurf ausgesetzt, meine proletarische Abkunft dünkelhaft überzubetonen. Ich räume inzwischen ein, daß es auch Vorteile haben kann, privilegierteren Schichten zu entstammen als ich. Dennoch möchte ich auf ein Wort meines Kollegen Rilke verweisen: „Armut ist ein großer Glanz von innen!" Ein Glanz, der seine größte Intensität in den Augen afrikanischer Kinder im letzten Stadium des Verhungerns erreicht.

1945 Erste Auftritte bei Familienfesten mit dem Lied: „Auf der Reeperbahn nachts um halb eins". Ich singe wie Miles Davis Trompete spielt, mit dem Rücken zum Publikum.

1948 Einschulung. Während der acht Jahre Volksschule keine besonderen musikalischen Interessen. Stattdessen bemale ich Butterbrotpapier und die unbedruckten Innenseiten von Buchdeckeln mit immer denselben Motiven: Pferde, Cowboys, Indianer.

1956 Lehrzeit als Dekorateur in einem Schuhgeschäft in Bielefeld. Während dieser Zeit entdecke ich meine musikalischen Neigungen wieder. Ich lerne Mandoline und Gitarre. (Mein Vater war Mitbegründer des regionalen Mandolinenorchesters.)

1957 Tod meines Vaters in seinem 55. Lebensjahr.

1959 Immer wieder gefragt, ob die auffällige Krümmung meiner Nase ein Geburtsfehler sei, antworte ich jetzt: „Nein, ich habe sie bei einer Prügelei mit Jungens aus dem Nachbardorf erworben." Der Anlaß – bei einem Zeltfest hatte ich mit einem Mädchen aus ihrem Dorf getanzt. Um einem alten Brauch zu genügen, sollte ich als Ortsfremder einen sogenannten „Jagdschein" vorzeigen, d.h. einen ausgeben, oder „'n paar in die Fresse kriegen". (Dieser Brauch hat sich im Zuge der Verstädterung nur in der Variante des Anzündens von Ausländerwohnheimen lebendig erhalten.)"

1962 Nach drei Jahren Lehrzeit und weiteren drei Jahren Tätigkeit als Dekorateur erfährt meine Biographie ihre entscheidende Krümmung auf ähnlich dramatische Weise wie vordem meine Nase. Im Zeitraum eines einzigen Jahres verlobe ich mich, werde wegen Musizierens während der Arbeitszeit entlassen (ich blase inzwischen Klarinette und Saxophon), bewerbe mich auf Betreiben meiner Verlobten für ein Graphikstudium in Bielefeld, bringe mich als Barmusiker und als Klarinettist in einer Jazzband durch, bewerbe mich bei der heutigen Hochschule der Künste in Berlin und werde wieder angenommen, löse meine Verlobung, und – um zum wesentlichen zu kommen -: ich höre zum ersten Mal George Brassens und beginne sofort, selber Lieder zu schreiben. „Das Loch unterm Dach" ist mein allererstes Lied.

1963 – 65 In Berlin gibt es schon eine Szene für Straßenmusiker und Maler. Ich studiere immer noch weiter schreibe nebenher das ein oder andere Lied. Die internationale „Folklorewelle" der 60er kündigt sich schon an. Ich höre zum ersten Mal von der Burg Waldeck, auf der 1965 das erste Folk- und Songfestival stattfindet.

1966 Mein erster Waldeckauftritt, Pfingsten '66, wird für mich eine Art Durchbruch, außerdem begegnen mir hier Menschen, mit denen mich heute noch enge Freundschaften verbinden.

1967 Hans A. Nikel, Herausgeber der „Pardon", engagiert mich, weil ihm meine Lieder gefallen, ein dreiviertel Jahr lang als Layouter. Er zahlt mir die für mich damals enorme Summe von DM 800,-- im Monat. Dort begegnen mir die von mir bewunderten Zeichner und Satiriker der „Pardon", Traxler, Halbritter, Gernhardt, Weigle und Waechter und vor allem der damalige Justitiar des Verlages, Robert Kuhn, mit seiner Freundlichkeit, die mir sehr wohltut.

1968 Zurück in das Berlin der Studentenbewegung, der Demonstrationen gegen die Springerpresse, den Schah von Persien, den Krieg der Amerikaner in Vietnam. In meiner ostwestfälischen Schwerfälligkeit begreife ich nur wenig von alldem. Die Berliner Fixigkeit macht mich ohnehin nach und nach fertig. Immer öfter klemme ich mir die Hacken in der U-Bahntür ein, weil ich nicht schnell genug drinnen oder draußen bin. Ich habe ständig das Gefühl, wesentliches zu verpassen. Z.B. heißt es, Otto Mühl (damals „Schweine-Mühl" genannt) bade dann und wann auf dem Kurfürstendamm in frischem Schweineblut mit anschließendem gemütlichen Pissetrinken und Massenfikken auf der Kantstraße. Ich möchte dabei sein, aber ich bin wieder zu spät.

Inzwischen gibt es in Berlin bereits eine lebendige Folk- und Liedermacherszene. Dazu zählen: Reinhard Mey, Schobert und Black, Insterburg und Co., Susanne Tremper, Klaus Hoffmann, Katja Ebstein, Ulrich Roski, Inga und Wolf u.a. Ich stehe damals jeden Abend auf bis zu fünf verschiedenen Bühnen, kassiere die Spitzengage von DM 25,-- pro Auftritt, die außer mir nur noch Reinhard Mey beansprucht, das Nachtleben gefällt mir, ich breche mein Studium ab, gehe keine Nacht vor fünf Uhr morgens ins Bett und schlafe bis in den Nachmittag. Die Frage nach der Tragfähigkeit einer künstlerischen Existenz stelle ich mir damals keinen Augenblick lang. „Zukunft" ist bis heute für mich eine Dimension von mehr historischem als privatem Interesse.

1969 erscheint meine erste Schallplatte „Hannes Wader singt".

1971/72 entschließe ich mich berlin-müde, eine Wohnung in Hamburg zu mieten, überlasse sie vorübergehend einer jungen Frau namens Hella Utesch, freie Mitarbeiterin des NDR. Ich selber habe die Aufnahme für die LP „Sieben Lieder" beendet, weiß schon, daß dieses Album ein großer Erfolg wird und daß sich mein Leben wieder einmal verändern wird. Ein letztes Mal trampe ich mehrere Monate durch Europa. Kaum zurück, werde ich nach einem Konzert in Essen quasi von der Bühne herunter verhaftet. Meine Hamburger Wohnung ist als das damalige Hauptquartier der sogenannten Baader-Meinhof-Bande aufgeflogen. „Hella Utesch" ist der Tarnname Gudrun Ensslins gewesen. Ein Ermittlungsverfahren wegen Unterstützung einer kriminellen Vereinigung wird gegen mich angestrengt, ich werde von Fernsehen und Funk boykottiert und erhalte in Österreich Einreiseverbot. Nicht nur ich selbst, auch meine Freunde werden abgehört, vernommen, observiert und unter Druck gesetzt. Ohne die Solidarität meiner Berliner Kollegen wäre ich als Liedermacher erledigt gewesen. Erst nach Jahren wird das Verfahren gegen mich eingestellt.

Weiter geht's auf Seite 70

Unterwegs nach Süden

Text und Musik: Hannes Wader

1. Ich bin un - ter - wegs nach Sü - den und will wei - ter bis ans
2. Ich bin un - ter - wegs nach Sü - den und will wei - ter bis ans
3. Ich bin un - ter - wegs nach Sü - den und will wei - ter bis ans

Meer, will mich auf hei - ße Kie - sel
Meer. Doch ich bin längst nicht mehr
Meer, ich bin mü - de, will nur

le - gen und dann brennt die Son - ne mir
si - cher, ob die Son - ne dies - mal hilft.
schla - fen, mor - gen, mor - gen schrei - be ich

die Nar - ben aus dem Na - cken, je - den
Sie brennt so heiß wie im - mer, a - ber
mei - ne Träu - me auf und se - he, wie in

Krat - zer, je - den Fleck, daß
un - ter mei - nem Hemd spür'
der Ver - gan - gen - heit der

von den tau - send Hän - den, die mich das gan - ze
ich, wie die Käl - te mei - ne Haut zu - sam - men - zieht.
Schmutz in mei - nen Ein - ge - wei - den, im Rü - cken - mark,

Jahr be - fin - gert und ge - schla - gen ha - ben,
A - ber der Schweiß in mei - nen Stie - feln
im Hirn be - gon - nen hat zu fau - len

im Hirn be - gon - nen hat zu fau - len

D · · **D** · **C** · **G** · **D7*** · **G**

kei - ne Spur mehr üb - rig bleibt.
kocht und frist an mei - nen Zeh'n.
und zu Gift ge - ron - nen ist.

G · **G** · **C** · **G** · **C**

Und wenn der Wind mir fet - zen - wei - se mei - ne
Und von dort, wo - her ich kom - me, trägt der Wind mir
Mor - gen wer - de ich dann wis - sen, wie es

D7 · **G** **D7*** **G** **G** · **G**

al - te to - te Haut vom Rü - cken
den Ge - ruch von halb ver - gess' - ner Angst,
heißt, wo - her es kommt, und wenn ich erst

1.+3. Strophe

C · **G** · **C** · **C** · **D7** · **G**

fegt als wei - ße A - sche steh ich auf und bin ge - sund.
den Na - men ken - ne, bringt dies Gift mich nicht mehr um.

2. Strophe

D7 · **G**

von Haß und E - kel wie - der zu.

Hinweis: die mit D7 bezeichneten Akkorde sollen immer mit Fis als Baßton gespielt werden.

Die mit D7* bezeichneten Akkorde werden folgendermaßen gespielt:

4
D7
(G)

*

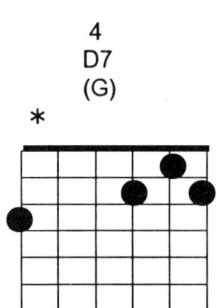

Hannes Wader zu *Unterwegs nach Süden*:

Aus Trotz entstanden, nach einem Gespräch mit dem Freund und Kollegen F.J. Degenhardt, der der Ansicht war, Liedtexte müßten Endreime haben, um singbar zu sein. Ich wollte ihm das Gegenteil beweisen.
Anfang 70 geschrieben, spiegelt dieses Lied mein Hauptbedürfnis in jener Zeit wieder, mich möglichst weit weg vom Gewohnten treiben zu lassen und viel zu erleben.

Schon morgen

Text und Musik: Hannes Wader

Sag wie lan-ge ha-ben dei-ne Fü - ße
Ha - ben Jahr und Tag nur to-ten star - ren

1. die na-ckte Er - de schon nicht mehr be - rührt?

2. Be - ton und As-phalt un-ter sich ge - spürt.

Nun gräbst du endlich wie-der dei-ne Ze - hen so tief du kannst in

küh - len, nas-sen Sand, die See füllt dei-ne

Spur mit ih-rem Was-ser und glät-tet vor und hin-ter dir den Strand.

Und schon morgen sollen al-le sie-ben Mee - re,

aus de-nen ein-mal al-les Le-ben kam,

auch an-de-ren die schlecht verheil-ten Wun-den von Stie-fel-trit-ten,

auch an-de-ren die schlecht verheil-ten Wun-den von Stie-fel-trit-ten,

Schlägen, al-lem Gram aus den Ge-sichtern

waschen und er-trän - ken, was gestern noch all ih-re Kräfte nahm.

2.

Wie lange hast du schon in Vollmondnächten
bei Sturmflut in die Brandung brüllen woll'n –
wie Sänger alter Zeit mit ihren Stimmen
den Sturm herausgefordert haben soll'n?
Nun würgen dich die Böen und sie stoßen
dir deinen Schrei tief in den Hals zurück
und reißen ihn dir wieder aus dem Rachen,
zerfetzen ihn im nächsten Augenblick.

Und schon morgen soll ein großer Sturm aufkommen,
und auch andere wagen es herauszuschrei'n,
was sie beleidigt, alle Furcht vergessend,
und keinem bricht der Sturm das Zungenbein.
Doch ihre Schreie packt er, und die werden
dann überall im Land zu hören sein.

Hinweis: Die Wiederholungszeichen im letzten Teil des Stückes beziehen sich nur auf die zweite Strophe!

© Text und Musik: Hannes Wader

Hannes Wader zu *Schon morgen*:

„Ich schrieb dieses Lied 1973 in Nordfriesland, nach meiner "Flucht" aus Berlin, ohne zu wissen, daß es den im Lied erwähnten "kühlen, nassen Sand" an der nordfriesischen Festlandküste nicht gibt."

Pablo

Text und Musik: Hannes Wader

Ein Bild in der Zei - tung, ein Kin - der - ge - sicht,

in - dia - nisch ge - schnit - ten, das Haar schwarz und dicht,

dun - kel die Au - gen, furcht - los und klar,

doch mit dem Wis - sen von Tod und Ge - fahr.

Ein Jun - ge, viel - leicht zwölf Jah - re alt,

die Haut bron - ze - braun, von zar - ter Ge - stalt,

in sei - nen Hän - den liegt sper - rig und schwer, ent - si - chert mit

glän - zen - dem Lauf ein Ge - wehr. Hab' dich nie ge -

sehn, und doch ken - ne ich dich, und ich nen - ne dich Pa - blo,

sehn, und doch ken - ne ich dich, und ich nen - ne dich Pa - blo,

nur so für mich. Ich kann dich nicht fra - gen, wa-

rum und wo - her ha - ben so Jun - gen wie Du ein Ge - wehr,

in El Sal - va - dor o - der an - ders - wo. Ich

brauch' nicht zu fra - gen, ich weiß es auch so.

2.
Als erstes hörte Pablo den Schuß,
frühmorgens beim Fischen, unten am Fluß,
ist schnell durch den Busch nach Hause gerannt,
die Luft roch scharf und beißend nach Brand.
Bald wagte er sich nicht mehr weiter und kroch
tief in ein grasüberwuchertes Loch
und hörte, während das brennende Dach
der Schilfhütte prasselnd zusammenbrach,
Männerstimmen, fremd, bösartig, grell,
ihr Brüllen und Fluchen, das Hundegebell.
Sah die Soldaten, zehn, zwölf oder mehr,
den Jeep und den Mann am Maschinengewehr.
Und seine Mutter lag mit dem Gesicht
im eigenen Blut, und sie regte sich nicht.

3.
Der Vater, noch lebte er, Pablo sah ihn,
die Hände gefesselt, lag er auf den Knien,
mißhandelt, beschimpft, auch er blutete schon,
schrie nicht, stöhnte nicht, sprach keinen Ton.

Der Soldat vor ihm, breitschultrig, schwitzend und dick,
stieß ihm sein Messer tief ins Genick.
Pablo sah seinen Vater, wie er da lag,
das Messer, das in seinem Nacken stak.
Die Klinge, sie ragte lang, blutigrot
zwischen den Zähnen hervor. Noch im Tod
streckte er, für Pablo sah es so aus,
seinem Mörder die stählerne Zunge heraus,
die Augen weit offen, voll Haß, nur ein Mann
aus dem Volk, das doch niemals besiegt werden kann.

4.
Ich seh dich, Pablo, vor Angst halb verrückt
und gelähmt, dein Gesicht in den Boden gedrückt.
Und doch hörst du das Geiergezänk und Gekreisch,
das Hacken von Schnäbeln in stinkendes Fleisch,
siehst das Gesicht deines Vaters zerfetzt,
spürst zwischen Fieber und Ohnmacht zuletzt
das Würgen, die Übelkeit, was hinterher
noch alles geschah, davon weißt du nichts mehr.
Männer von irgendwoher aus dem Wald
fanden dich, deine Fäuste verkrallt
in den faltigen Hals eines Geiers, halbtot,
pflegten dich, Pablo, gaben dir Brot,
das Lachen, die Liebe zurück und noch mehr:
Vertraun in die Zukunft und ein Gewehr.

Wie lange noch
müssen die Menschen auf Erden
sich wehren und kämpfen,
um Menschen zu werden?

© Text und Musik: Hannes Wader

Hannes Wader zu *Pablo*:

Dieses Lied entstand anläßlich einer Reise nach Nicaragua Anfang der 80er Jahre ...

Hannes Wader

(2. Teil)

1973 – 77 Den Plan, nach Hamburg zu ziehen, betrachtete ich als gescheitert. Ich beziehe stattdessen eine alte Windmühle in Nordfriesland, in der ich heute noch lebe. Immer wieder bin ich gefragt worden, wie sich die Inhalte meiner Lieder mit dem Besitz einer Windmühle vereinbaren lassen. Die Antwort lautet: Gar nicht.

Es erschienen in diesen Jahren die LPs „Der Rattenfänger", „Plattdeutsche Lieder", „Hannes Wader Volkssänger", „Shanties", „Kleines Testament", „Arbeiterlieder" sowie die „Folkfriends"-Alben, die in meiner Windmühle aufgenommen werden.

1977 trete ich in die Deutsche Kommunistische Partei ein und wechsele von meiner Platten-Company „Phonogram" zu „pläne". Auf meinen Parteieintritt reagieren die Medien erneut mit Boykott, diesmal so wirksam und lang anhaltend, daß die jetzige Redakteursgeneration mit meinen Namen kaum noch etwas verbindet. Ich betrachte das als Chance, von einer der nächsten Generationen wiederentdeckt zu werden.

In den folgenden Jahren bin ich stark politisch aktiv, ich singe in bestreikten Betrieben, auf politischen Veranstaltungen, bin engagiert in der Friedensbewegung ...

Bei „pläne" entstehen die LPs „Wieder unterwegs", „Es ist an der Zeit", „Nicht nur ich allein", „Daß nichts bleibt, wie es war", „Glut am Horizont", „Liebeslieder", „Bis jetzt".

1980 ff Zu Beginn der 80er spiele ich im Ensemble mit Lydie Auvray (Akkordeon), Hans Harmann (Bass) und mit Reinhard Bärenz (Gitarre). Von Mitte der 80er bis Anfang der 90er Jahre ist Detlef Petersen mein Produzent, der auch viele Melodien für mich schreibt.

Mit dem Erscheinen Gorbatschows auf der politischen Bühne bröckelt langsam meine bis dahin felsenfeste politische Überzeugung. Anstatt mich weiterhin an politischen Diskussionen und innerparteilichen Auseinandersetzungen zu beteiligen, arbeite ich verstärkt an dem Hamburg-Liederzyklus.

1989 erscheint das Album „Nach Hamburg". Im Zuge der politischen Turbulenzen (Auflösung der DDR und der Sowjetunion u.s.w.) werde ich von „pläne" gefeuert.

1990 erscheint die noch für „pläne" produzierte CD „Hannes Wader singt Volkslieder" bei „phonogram"...

1991 gefolgt von der CD „Nie mehr zurück".

1993 werde ich bei „phonogram" gefeuert.

1994 Doch wieder zurück zu „pläne".

1995 erscheint dort nach mehrjähriger Pause (keine Lust) die CD „Zehn Lieder".

1996 nehme ich die CD „Hannes Wader singt Bellmann" auf, gesanglich unterstützt von Reinhard Mey und Klaus Hoffmann.

1997 erscheint die CD „Hannes Wader singt Schubert" (Arrangement und Gitarre: Ralf Illenberger; Bass: Eberhard Weber).

Nach Hamburg

Text und Musik: Hannes Wader

Ich war sechzehn Jah-re alt, als ich an ei-nem Sonntag auf der Stra-ße

stand mit fünf Mark in der Ta-sche woll-te grad' ins Kino gehn.

Da hielt vor mir ein schwarzer Ka-pi - tän mit Weißwandreifen, Kurti

saß am Steu-er, sag-te: "Komm steig' ein, wir wol-len mal 'ne Run-de dreh'n."

Ich sag-te: "Kur-ti, Mensch laß' mich doch auch mal fahren." Aber Kur-ti mein-te

nur: "Wer hat den Schlitten denn ge - klaut, Du et-wa o - der ich?"

Nun gut, vorm Ki - no stie-gen dann noch E-ri - ka und In-grid ein, die woll-ten

die-sen Film mit Ru-dolf Prack und Son - ja Zie-mann seh'n, an und für sich.

Es ist Sonntagnachmittag, pas-siert jetzt was o - der nein?

Sonntagnachmitta-ge können ö - de sein, können so ö - de sein.

72

2.

Weil das Radio nicht ging, mußten wir dann selber singen,
und ich hab' mein erstes Lied gedichtet,
ganz alleine, Wort für Wort, und das ging:
Auf der grünen Wiese saß der Rudolf Prack
und Sonja Ziemann fummelt ihm am ...
Auf der grünen Wiese und so weiter und so fort.

Gegen Abend kamen wir nach Hamburg,
konnten die verdammte Reeperbahn nicht finden,
und wir stiegen bei den Landungsbrücken aus.
Ich sah meine erste Möwe, hörte Schiffe tuten,
fror in meinem Nyltesthemd.
Und zehn Minuten später fuhren wir zurück nach Haus.

Es ist Sonntagnachmittag, passiert jetzt was oder nein?
Sonntagnachmittage können öde sein, können so öde sein.

3.

Auf dem Rücksitz neben mir saß Ingrid,
und ich wollte mit ihr knutschen,
aber Ingrid zierte sich.
Kurz gesagt, ich stand nun mal auf Ingrid,
aber Ingrid stand auf Kurti,
Kurti stand auf Erika, aber Erika stand nicht auf mich.

Kurt war stinksauer, als der Wagen stehenblieb mit leerem Tank
und er versenkte ihn in einem tiefen Baggerloch.
Spätnachts kam ich nach Hause
und roch immer noch den Wind vom Nordatlantik,
ganze zehn Minuten Hamburg,
aber schön war es doch.

Es ist Sonntagnachmittag, passiert jetzt was oder nein?
Sonntagnachmittage können öde sein, können so öde sein.

© Text und Musik: Hannes Wader

Hannes Wader über *Nach Hamburg*:

"Die Geschichte hat sich 1958 im wesentlichen wie geschildert abgespielt. Wahrscheinlich habe ich Kurti nicht mal gefragt, ob er mich fahren läßt, weil mich Autos schon damals nicht interessierten.
Ob Erika und Ingrid wirklich so hießen? Ich habe es vergessen."

Tagtraum

Text und Musikbearbeitung: Hannes Wader
Musikvorlage: Hans Leo v. Haßler (1564-1612)

Hab' mich in vie-len Din-gen ver-
mich zu oft im Le-ben von der
3. Hab' mich zu hoch ver-stie-gen, bin

schätzt und oft ge-irrt zu viel will mit miß-
Wirk-lich-keit ent-fernt doch das Träu-men auf-zu-
krän-ker als vor-her. Jetzt bin ich wach, nun

lin-gen, bin rat-los und ver-
ge-ben, ich hab' es nie ge-
wie-gen mei-ne Glie-der tau-send-mal so

wirrt. Ich ha-be mei-ne Hän-de nicht
lernt. Wird mir mein Mut ge-nom-men, bin ich
schwer. Ich spür' die har-te Er-de, fühl'

we-ni-ger ge-rührt als an-d're, doch hat es am En-de scheint
trau-rig und be-drückt, ist mir ein Traum will-kommen, in
mich erschöpft und wund, doch leb' ich, und ich weiß, ich wer-de schon

1.
2.+3.
Fine

mir zu nichts ge-führt, scheint mir, zu nichts ge-führt. 2.Hab'
dem mir al-les glückt, in dem mir al-les glückt.
bald wie-der ge-sund, schon bald wie-der ge-sund.

Und ich träumte, ich flog hoch ü-ber Land und

Meer so leicht und weit für jetzt und al-le Zeit von je-der Last be-freit.

74

Meer so leicht und weit   für jetzt und al - le Zeit   von je - der Last be-freit.

Und ich träumte, es zog   tief un - ter mir vor-

bei, was früh-her war,   und ich durchschaute klar   mich sel - ber und so - gar

daß ich träum - te, ich flog.

© Text und Musikbearbeitung: Hannes Wader

Hannes Wader zu *Tagtraum*:

„Die Melodie dieses Liedes stammt von Hans Leo von Haßler (1564-1612): „Mein Gemüt ist mir verwirret", erstmals gedruckt 1601.
Paul Gerhard (1607-1676) dichtete zu der Melodie sein „Oh Haupt voll Blut und Wunden".
Diese Version wurde durch Johann Sebastian Bach, der sie in seiner Matthäus-Passion verwendete, später weltberühmt.
Ich selbst habe, angeregt durch Paul Simons Bearbeitung der Melodie ("American tune"), 1995 einen Text dazu geschrieben."

Gitarrengriffe, Transponiertafel

Für die linke Hand (Greifhand) gilt:
Z = Zeigefinger, M = Mittelfinger, R = Ringfinger, K = Kleiner Finger
x = die so gekennzeichnete Saite wird nicht angeschlagen

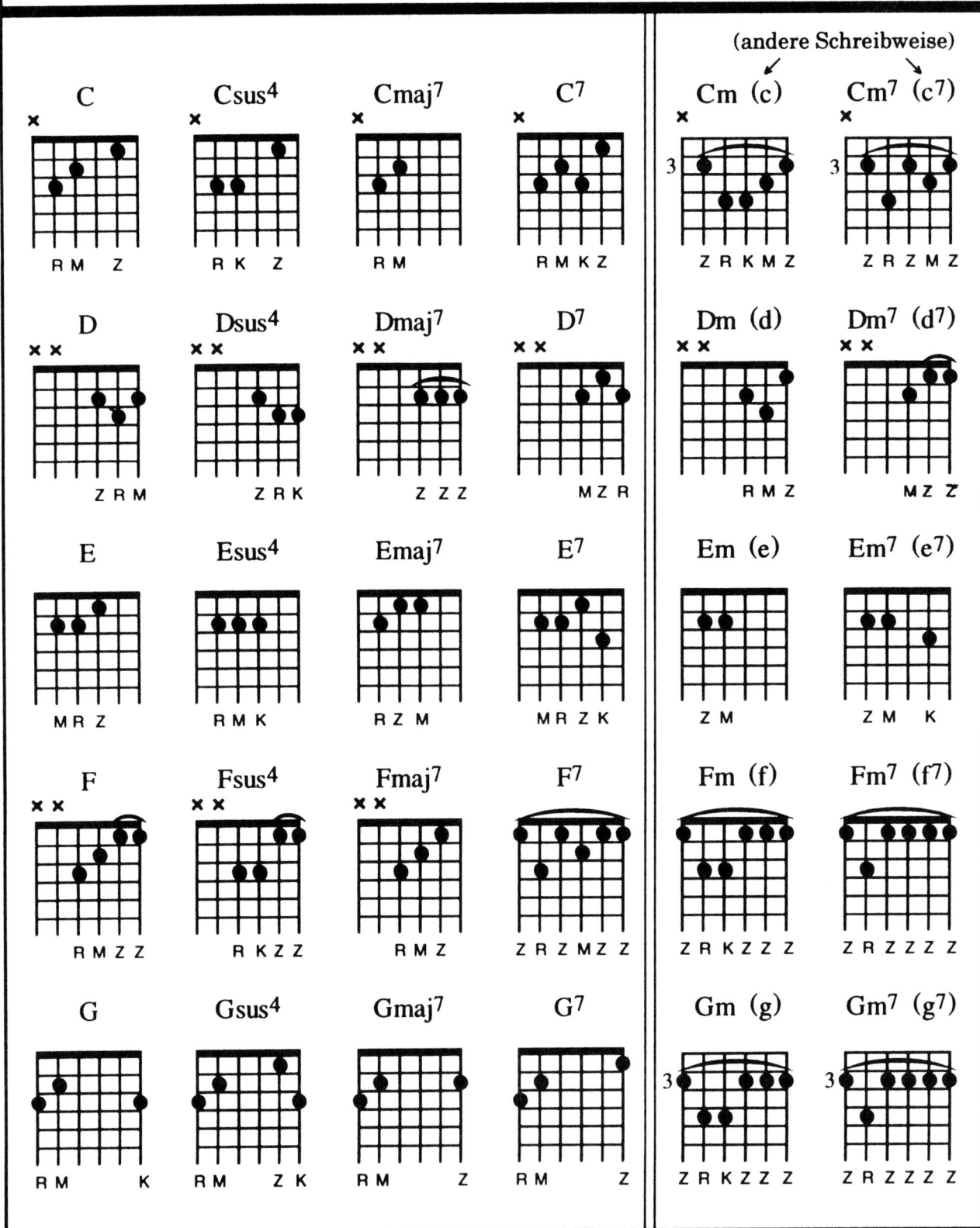

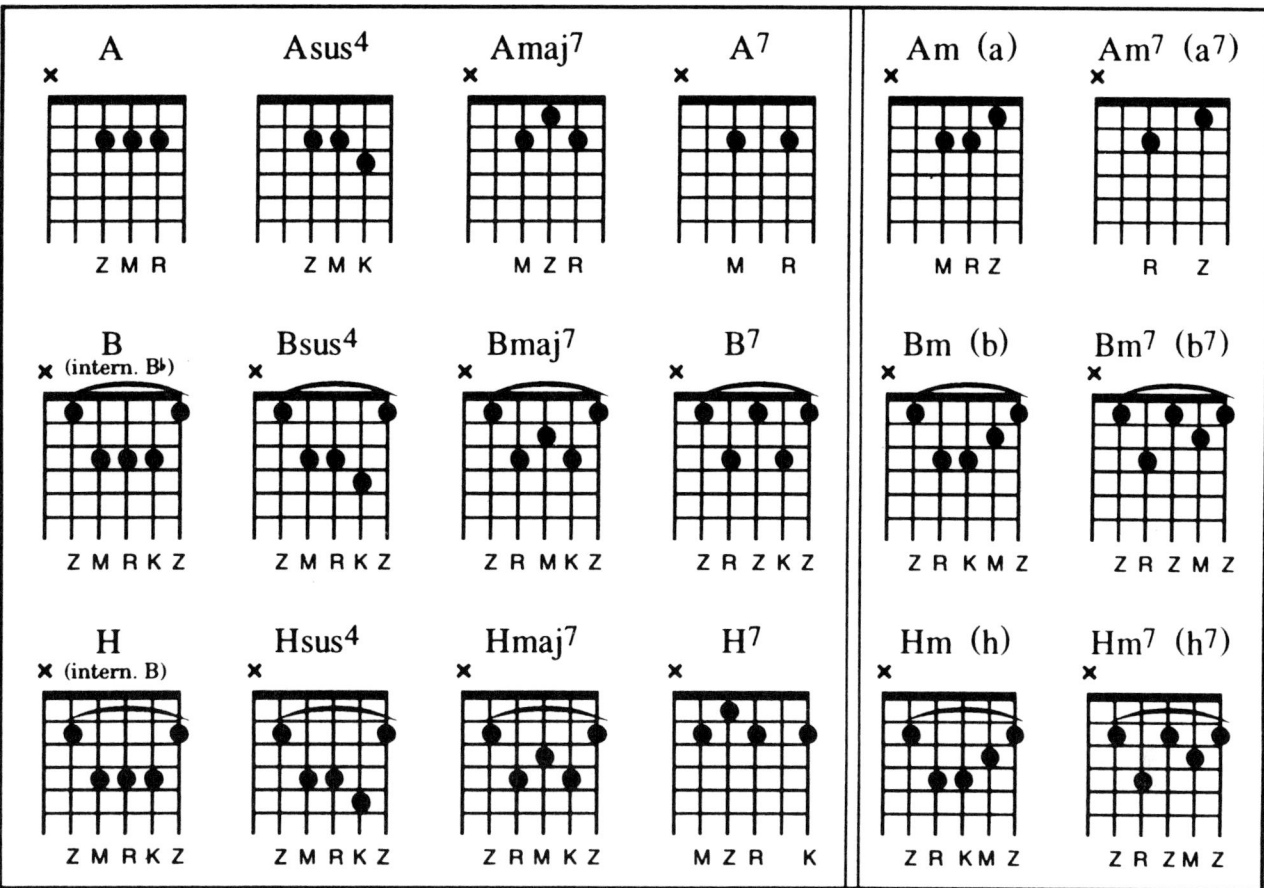

Diese Transponiertafel hilft, Lieder in andere Tonarten zu übertragen und dazu die neuen Akkorde festzustellen.

Beispiel: Ein Lied steht in E-Dur (4♯) und ich will es ein wenig höher in G-Dur (1♯) singen: Dann suche ich die beiden Tonarten in der ersten Zeile. Nun wird jeder Ton bzw. Akkord in der E-Dur-Spalte gesucht und entsprechend auf der gleichen Höhe in der G-Dur-Spalte abgelesen. In unserem Beispiel wird jedes A zu C, E zu G, H zu D usw.

Tonart: (Dur)	B	F	C	G	D	A	E	H	F♯	C♯	G♯	D♯
(Moll)	g	d	a	e	h	f♯	c♯	g♯	d♯	b	f	c
(Vorzeichen)	2♭	1♭	–	1♯	2♯	3♯	4♯	5♯	6♯	5♭	4♭	3♭
	D♯	B	F	C	G	D	A	E	H	F♯	C♯	G♯
	B	F	C	G	D	A	E	H	F♯	C♯	G♯	D♯
	F	C	G	D	A	E	H	F♯	C♯	G♯	D♯	B
	C	G	D	A	E	H	F♯	C♯	G♯	D♯	B	F
	G	D	A	E	H	F♯	C♯	G♯	D♯	B	F	C
	D	A	E	H	F♯	C♯	G♯	D♯	B	F	C	G
	A	E	H	F♯	C♯	G♯	D♯	B	F	C	G	D
	E	H	F♯	C♯	G♯	D♯	B	F	C	G	D	A
	H	F♯	C♯	G♯	D♯	B	F	C	G	D	A	E
	F♯	C♯	G♯	D♯	B	F	C	G	D	A	E	H
	C♯	G♯	D♯	B	F	C	G	D	A	E	H	F♯
	G♯	D♯	B	F	C	G	D	A	E	H	F♯	C♯

Es entsprechen:
D♯ = E♭
G♯ = A♭
C♯ = D♭
F♯ = G♭

Irische Folksongs

ie neue Sammlung irischer Folksongs für Gitarre und Gesang knüpft an den ersten Band an. Der Autor wählte 13 populäre irische Liebes- und Trinklieder, Balladen und Emigrationssongs aus. Neben auflockernden Hintergrundinformationen finden sich zu allen Liedern das passende Zupfmuster zur Begleitung sowie eine eigens ausgearbeitete Solo-Gitarrenfassung.

Band 2 enthält folgende Folksongs:

1. The Star of Country Down
2. The Spanish Lady
3. Roddy McCorley
4. The Blacksmith
5. The jolly Beggar
6. The Lifeboat Mona
7. Arthur McBride
8. Follow me up to Carlow
9. The Lark in the Morning
10. Rocky Road to Dublin
11. Dirty Old Town
12. The Raggle Taggle Gypsies
13. The Foggy Dew

Patrick Steinbach
Irische Folksongs für Gitarre und Gesang Band 2
Mit Folksongs auf CD
1997. 60 Seiten,
Format DIN A4, kartoniert
incl. CD DM 39,90
ISBN 3-7663-1149-2

Patrick Steinbach
Irische Folksongs für Gitarre und Gesang Band 1
Mit 13 Folkssongs auf CD
3. Auflage, 1997. 76 Seiten,
Format DIN A4, kartoniert
incl. CD DM 39,90
ISBN 3-7663-1148-4

Arturo Luna
Lateinamerikanische Lieder und Rhythmen
Canciones latinoamericanas
für Gitarre und Gesang
1994. 82 Seiten,
Format DIN A4, kartoniert
incl. CD DM 39,90
ISBN 3-7663-1126-3

kunterbundedition

Neue Liederbücher

Willkommen im Garten der Lieder

Liedergarten (Nr. 12)
1998. 96 Seiten,
kartoniert DM 12,90
ISBN 3-7663-1151-4

Band 12 der beliebten Liederbuchreihe enthält 88 neue Titel. Mit aktuellen Top-Hits von den Backstreet Boys, Joe Cocker, Volksliedern aus aller Welt, bekannten Kinderliedern (»Eine Insel mit zwei Bergen«) und natürlich mit Guildo Horns »Guildo hat euch lieb« zum Mitsingen!

Weitere Titel aus dieser Reihe:

Liederbuch (Nr. 1)	ISBN 3-7663-1135-2
Liederkiste (Nr. 2)	ISBN 3-7663-1019-4
Liederkarren (Nr. 3)	ISBN 3-7663-1017-8
Liedercircus (Nr. 4)	ISBN 3-7663-1025-9
Liederkorb (Nr. 5)	ISBN 3-7663-1030-5
Liederbaum (Nr. 6)	ISBN 3-7663-1066-6
Liederwolke (Nr. 7)	ISBN 3-7663-1121-2
Liedersonne (Nr. 8)	ISBN 3-7663-1115-8
Liederstern (Nr. 9)	ISBN 3-7663-1073-9
Liederstrauß (Nr. 10)	ISBN 3-7663-1131-X
Liederballon (Nr. 11)	ISBN 3-7663-1146-8

Alle Titel 96 Seiten, kartoniert je **DM 12,90**

Himmlische Lieder und märchenhafte Geschichten für Mondsüchtige

Beate Dapper
Himmelszelt und Sternenwelt
Lieder und Geschichten
Mit 25 Illustrationen von
Viktoria Lundgrün
1998. 96 Seiten,
DM 19,90
ISBN 3-7663-1153-0

Mond und Sterne sind seit Urzeiten das Motiv für Sehnsüchte und Träume, zur Deutung der Zukunft und Erklärung der Welt. Das Liederbuch führt auf eine poetische Reise in die Sternenwelt mit 36 bekannten und vergessenen Volks- und Kunstliedern, Weihnachtsliedern, beliebten Melodien aus Bühne und Film bis hin zum Schlager oder Popsong. Mit Liedern u. a. von: Die Prinzen, Ludwig Hirsch, Carl Orff, Edvard Grieg, Franz Schubert und märchenhaften Geschichten über die Sternenwelt.

kunter **bund** edition